S0-AJW-064

SHIN NIHONGO NO KISO II

新日本語の基礎 II

しんにほんごのきそ

財団法人 海外技術者研修協会 編著

株式会社スリーエーネットワーク 3A Corporation 授權

大新書局印行

序

財團法人海外技術者研修協會自1959年創立以來，就接收發展中國家的技術進修生並從事培訓工作。到1993年３月爲止，共接收了來自150個國家的大約5萬５千名研修生。

研修生在日本生活、接受培訓時的最大苦惱是語言問題。如果不懂日語，就不能適應日本生活，也難以了解日本，而且作爲他們的最終目的的工廠實習，也不能獲得充分的成果。

在很多情況下，研修的成果與日語的學習是成正比關係的，這是我們根據長期積累的經驗所得出的結論。因此即使是對那些在日本期間較短的研修生，我們也一直重視日語教學。

本協會的日語教學，是作爲進入企業實地進修之前的一般研修之一環而進行的。一般研修的核心是６週課程，但是其中的100小時用於日語學習。對於學習一門新的外語來說，100小時無論如何也是不夠的，因此要想在此期間取得一定的成果也並非容易之事。對教學方法、課程安排、教材等等進行全面而有機的研究開發，當然是很有必要的。本協會的《日語的基礎》系列，也是這種研究開發的長年累積的成果。

這次編成並出版發行的《新日語的基礎Ⅱ》，乃是1989年11月的《新日語的基礎Ⅰ》的繼續、舊版《日語的基礎Ⅱ》的改訂版。舊版教材雖然10餘年來一直獲得好評，但是爲了適應時代潮流，對詞彙等的刷新、各單元的整理與充實、從基礎Ⅰ向基礎Ⅱ過渡之際的有機關聯等方面嘗試作了進一步的改善。由本協會在其他教學現場的試行和研究中花了十二年的時間，因此教材的出版發行比預定計劃晚了許多，在此謹表示歉意。

我們今後將繼續聽取有關方面的意見和指導，爲開發更優秀的日語教材而努力。

1993年３月

財團法人　海外技術者研修協會

專務理事　山本長昭

序

財団法人海外技術者研修協会は、1959年に設立されて以来、発展途上諸国の技術研修生の受入れ、研修事業を行ってきた。1993年３月現在、受入研修生数は累計で約５万５千人、対象国150か国に及んでいる。

研修生が、日本で生活し研修を受ける時の最大の悩みは言葉である。日本語が分からなければ、日本になじめないし、日本を知ることも難しい。そして、彼等の究極の目的である工場実習の成果も十分には期待できない。

研修の成果と日本語習得の度合いとは、多くの場合、比例関係にあるというのが、私たちの長年の経験にもとづく結論である。在日期間が比較的短い研修生であっても、私たちが日本語教育を重視してきたのはそのためである。

協会の日本語教育は、企業の実地研修に先立って行われる一般研修の一環として実施されている。一般研修の中心は６週間コースであるが、その中で100時間を日本語学習に充てている。新しい外国語を学ぶには到底十分とは言えないこの100時間で、一定の成果をあげるのは容易なことではない。教授法、カリキュラム、教材等々全般にわたる有機的な研究開発が必要であることは言うまでもない。協会の「日本語の基礎」シリーズは、その長年の積み上げの足跡でもある。

この度、『新日本語の基礎Ⅱ』が完成、発刊することになったが、これは、1989年11月の『新日本語の基礎Ⅰ』に続く、旧版『日本語の基礎Ⅱ』の改訂版である。10年余にわたり好評をいただいてきた旧版だが、時代の流れに対応する語彙等の刷新、各単元の整理と充実、基礎Ⅰから基礎Ⅱの学習に進む際の円滑なつながりなどに一層の改善を試みた。協会その他の教育現場での、試行と検討に十二分の時間をかけたため、発刊が計画より大幅に遅れてしまったことをお詫びしたい。

今後とも、関係者のご助言、ご指導をいただきながら、よりすぐれた日本語教材の開発に努力致したいと考えている。

1993年３月

財団法人　海外技術者研修協会

専務理事　山本長昭

改訂說明

《日語的基礎Ⅰ》和《日語的基礎Ⅱ》的成書，中間相隔近十年時間。因此從Ⅰ來看Ⅱ，在內容上存在著缺乏統一性的方面。爲了糾正這內容上的不足，並對以前的教學方法進行反省，我們自1985年起，開始對《日語的基礎Ⅰ、Ⅱ》進行全面的改訂。在改訂之際，我們注意了以下幾點：

1．首先對基本的、使用頻度較高的日語句型、詞彙、表現等進行重新研究，力圖刷新內容。還對句型、例句、會話、練習等教科書的整體結構進行了重新編排。

2．《日語的基礎》通過句型練習的積累來達到對句型、詞彙的築固，在繼續發揮這個長處的同時，也增加了旨在提高會話的實際運用能力的“練習C”。

3．在研修以及技術研修現場的公司、工廠諸單位的協助下，我們對研修生從來到日本到回國這期間的語言活動進行了調查，從中選擇了研修生使用日語的場面及情形，使之反映在“會話”之中。我們還注意到“會話”是簡潔的表現、而且是實用性很強、非常自然的日語。

4．增加了每幾課之後的複習、語法小結、關聯詞彙等，以便使之成爲學員和教師的得心應手的教科書。

5．重視日語學習初階段的聽力培養，在“問題”中編入了許多聽力方面的內容。另外作爲培養閱讀能力的先導，穿插了內容簡短的讀物。

《新日語的基礎Ⅱ》是根據上述意圖而編成的初級後期日語教科書。學習時間約爲100小時。經過兩年的試用期間的不斷研究和修正，終於出版發行了。但是一定還有不足之處，懇請廣大讀者提出批評和意見，以便進一步加以充實。

改訂にあたって

『日本語の基礎Ⅰ』と『日本語の基礎Ⅱ』はその作成時期において、10年近くの開きがある。そのためⅠからⅡを通してみると、内容的に統一を欠く面が残った。このような内容の是正と共に、これまでの教授法の反省を踏まえて、1985年より、『日本語の基礎Ⅰ・Ⅱ』の全面的改訂に踏み切った。改訂にあたり、留意した点は以下の通りである。

1．まず、基本的で使用頻度の高い日本語の文型、語彙、表現などを再検討し、内容の刷新を図った。更に、文型、例文、会話、練習など、教科書全体の構成を立て直した。

2．『日本語の基礎』の文型練習の積み上げによる文型、語彙の定着の良さという長所を生かしながらも、会話の実際的な運用力が向上するように「練習C」を加えた。

3．研修生及び、技術研修先の会社や工場の方々の協力を仰いで、研修生が来日してから帰国するまでの言語活動を調査した。この中から、研修生が日本語を使用する場面、状況などを選び、「会話」に反映させた。「会話」は簡潔な表現で、しかも実用性が高く、自然な日本語であることに留意した。

4．数課ごとの復習、文法事項のまとめ、関連語彙などを加え、学習者、教授者にも教科書として使いやすくなるように配慮した。

5．日本語学習の初級段階における聞き取り力の養成を重視し、「問題」に聞き取りの内容を多く取り入れた。また、読解力を養う導入として、短い内容の読み物を配した。

『新日本語の基礎Ⅱ』は、上記の意図に基づく初級レベル後期の日本語教科書である。学習時間は約100時間である。２年間の試用期間を置き、検討、補正を重ね、発刊に至った。しかし、まだなお不十分な点があると思われる。多くの方々の御批判、御助言をいただき、より一層の充実を目指したい。

範　例

Ⅰ、教科書的構成

本教科書包括正册、分册以及卡式錄音帶。正册有羅馬字版和漢字・假名版兩種。分册有英語、印度尼西亞語、泰語、西班牙語、朝鮮語和漢語版本。其他語種的版本，也預定逐漸完成。

本教科書是以日語的聽、說爲中心而構成的，因此不包括對平假名、片假名、漢字等文字方面的讀、寫指導。

Ⅱ、教科書的內容和使用方法

1．正册

1）正課課文

接著《新日語的基礎Ⅰ》（全25課），由26課至50課構成。內容分爲以下幾部分：

① **單字註解**

本課所要學的單字、附註、重音及中譯。

② **句型**

本課所要學的基本句型按出現順序排列。

③ **例句**

基本句型以提問和回答的對話形式表示。句型是以實際上如何使用作爲會話的最小單位的形式來表示的。另外，盡量採用該課涉及到的副詞、連詞等的使用方法。基本句型所表示之外的，但屬於該課的所學項目也包括在內。

④ **會話**

會話中出現的人物先在研修中心完成６星期的一般進修，然後奔赴進修現場，熟悉日本人生活、加深與日本人的交流，順利完成技術進修後歸國，對他們的這期間的經歷進行總結；通過把各課學習內容密切聯繫在一起的形式，配上日常生活中的常用寒暄等慣用表現編制而成。我們所盼望的是對場面和談話的整個過程的充分理解、加以練習以便能夠進行會話。有更多時間的話，希望能夠利用分册的有關詞彙表和聽覺材料等，把這樣的會話作進一步發展，幫助提高會話能力。

⑤ **練習**

練習分爲A、B、C 三個階段。練習A 是爲了容易理解語法構造、考慮到視覺效果而編排的。以詞彙代入的形式來謀求基本語法的鞏固，同時也顧及了如何容易學習活用型的製作方法、對不同詞類的後續句的連接方法等等。

練習B 用各種各樣的練習形式來強化對基本句型的鞏固。帶有 ☞ 記號的，表示使用圖畫的練習。

練習C 是在圓滿掌握練習A 、B 的基礎句型練習之後進行的簡短會話練習，是爲了讓學員學習句型實際上是在怎樣的場面、情景中發揮功能的，以便提高會話能力而設置的。

不要照讀教科書或只是單純反覆練習，最好是根據班級的實際水平、變換範句的代入部分，來進一步展開練習。

⑥ **問題**

問題包括聽解(📼 的地方)與語法問題等。聽解就是聽卡式錄音帶、回答簡單提問以及聽簡短會話、把握內容要點等問題。這些問題是爲了強化聽解能力而配置的。語法問題是確認對詞彙和該課所學語法事項的理解程度。讀解問題多屬於閱讀那些用已經學過的詞彙和句型寫成簡易句子，回答有關這些內容的提問。

2 ）**複習**

是數課後，爲了重新整理學習項目的要點而設置的。

3 ）**總結**

正册的總結，對“助詞”、“活用形的用法”、“動詞・形容詞的各種用法”、“自動詞與他動詞”、“副詞・副詞性的表現”以及“各種連接”等語法事項進行總結並舉例。

4 ）**關聯詞彙及其譯文**

以那些不屬於必需但是被視爲有幫助的詞彙爲中心，歸納成12個項目。

5 ）**索引**

把各課新出現在詞彙、表現等與各自最初出現的課文一起標示。

2．文字表記時應注意的幾點

1）漢字原則上依據“常用漢字表”。

①　“熟字訓”(兩個字以上組成的漢字，有特殊讀音)中，若含有“常用漢字表・附表”中的詞，則用漢字書寫。

例：　友達　果物　眼鏡

②　國名・地名等固有名字，另外文藝・文化等專門領域的用語，使用“常用漢字表”中没有的漢字及其讀音。

例：　大阪　奈良　歌舞伎

2）在“常用漢字表”及其“附表”所規定的範圍內，用漢字書寫並添注假名，但是考慮到學員們的閱讀方便，一部分用假名書寫。

例：　ある（有る・在る）　たぶん（多分）

きのう（昨日）　こんにちは（今日は）

3）數字原則上用阿拉伯數字。

例：　9時　4月1日　1つ

但是以下情況用漢字數字。

例：　一人で　一度　一万円札

3．括號的用法

1）［　］　①　表示與動詞緊密相連的語句的一例。

例：　消えます［電気が～］、遅れます［時間に～］

②　表示可以省略的語句。

例：　ご苦労さま［でした］。

2）（　）　表示同義或同類意思的表現、語句。

例：　背広（スーツ）

3）【　】　表示能與別的語句互換位置的部分。

例：　よかったら、【いっしょに　行き】ませんか。

4）「新日本語の基礎Ⅰ」以1、2、3……的標記來表示標準的東京語調。而「新日本語の基礎Ⅱ」則以紅色印線來表示標準的東京語調。

例：

①0 あいだ（間）⇒あいだ

②1 おくさん（奥さん）⇒おくさん

③2 きかい（機械）⇒きかい

④3 ことば（言葉）⇒ことば

⑤4 いらっしゃい ⇒いらっしゃい

⑥5 とうきょうタワー（東京タワー）⇒とうきょうタワー

給諸位學習者的話

1．要牢牢記住單詞，反覆練習句型

本教材課文前面，列有各課出現的新單詞。首先要記住這些單詞，在此基礎上正確理解句型的意思，反覆進行練習，直至牢牢掌握。特別是“練習A、B”，要大聲地練習。

2．要充分進行會話練習

句型練習之後是會話練習。“會話”中編入了日常生活中遇到的各種各樣的場面，爲了習慣這樣的會話，首先要對“練習C”進行好好練習，然後記住“會話”中與場面、情景相符的問答訣竅。

3．要多次聽錄音

在從事句型、會話練習的時候，爲了掌握正確的發音和抑揚頓挫，要邊聽錄音邊大聲練習。另外，爲了習慣日語的發音和速度、培養聽懂內容的能力，要多次聽錄音。

4．務必進行複習

爲了不忘記上課時學過的內容，務必當天進行複習。最後通過“問題”來確認學過的東西，測試自己的聽解能力。

5．要實際試著說話

教室並不是學習的唯一場所。要使用學過的日語，試著與老師、朋友和一般日本人對話。如果學過的東西能起作用，那麼會更加激勵學習。

如果依照上述要求學完這本教科書，就能使日常生活中基本場面所必需的基本詞彙、表現得到擴充，充分培養起初級日語的基礎能力。希望不驕不躁，耐心地把學習進行下去。

指示用語

ぶんぽう	文法	語法
ぶん	文	句子
たんご	単語	單詞
だい～か	第～課	第～課
ぶんけい	文型	句型
れいぶん	例文	例句
かいわ	会話	會話
れんしゅう	練習	練習
もんだい	問題	問題
ふくしゅう	復習	複習
めいし	名詞	名詞
どうし	動詞	動詞
じどうし	自動詞	自動詞
たどうし	他動詞	他動詞
いけいようし	い形容詞	い形容詞
なけいようし	な形容詞	な形容詞
じょし	助詞	助詞
ふくし	副詞	副詞
せつぞくし	接続詞	接續詞
ぎもんし	疑問詞	疑問詞
げんざい	現在	現在
かこ	過去	過去
こうてい	肯定	肯定
ひてい	否定	否定
ーグループ		～組，羣
ーけい（フォーム）	ー形	～形
ーたい	ー体	～體
ていねい	丁寧	禮貌
ふつう	普通	普通
かのう	可能	可能
うけみ	受身	被動
しえき	使役	使動
そんけい	尊敬	尊敬
けんじょう	謙譲	謙讓
いこう	意向	意願
めいれい	命令	命令
きんし	禁止	禁止
じょうけん	条件	條件
さくいん	索引	索引

目　次

ページ

この　テキストの

ナロン

名古屋自動車で　実習中

渡辺

社員寮の　管理人

名古屋自動車の　社員

高橋

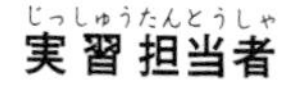

実習担当者

石川

技術指導員

池田

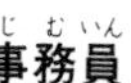

事務員

リー

大阪機械で　実習中

中村

大阪機械の　技術指導員

名古屋

大阪

四国

九州

沖縄

主な　登場人物

（提供ボンカラー）

井沢

©藤田麻生（提供ボンカラー）

根

ラオ

東京電気で　実習中

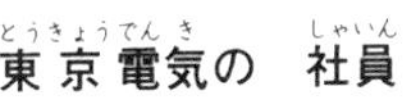

東京電気の　社員

森	加藤	佐藤
部長	実習担当者	事務員

AOTSで　働いて　いる　日本人

田中	木村
コース担当者	受付の　人

アリ

横浜機械で　実習中

小川

横浜機械の　技術指導員

第 26 課

おくれます［じかんに～］ Ⅱ （おくれる、おくれて） 遅れます［時間に～］（遅れる、遅れて）		［比規定的時間］遲
まにあいます［じかんに～］ Ⅰ （まにあう、まにあって） 間に合います［時間に～］（間に合う、間に合って）		趕上［時間］
つきます［でんきが～］ Ⅰ （つく、ついて） ［電気が～］		［燈］開著
きえます［でんきが～］ Ⅱ （きえる、きえて） 消えます［電気が～］（消える、消えて）		關［燈］
あきます［ドアが～］ Ⅰ （あく、あいて） 開きます（開く、開いて）		開［門］
しまります［ドアが～］ Ⅰ （しまる、しまって） 閉まります（閉まる、閉まって）		關［門］
やります Ⅰ （やる、やって）		幹，做(比“する”稍更粗魯的說法)
みます Ⅱ （みる、みて） 見ます（見る、見て）		看，檢查
れんらくします Ⅲ （～する、～して） 連絡します		聯繫，聯絡 (與他人進行聯繫)
おかしい		奇怪的，可笑的
つまらない		不值錢的，無聊的
つごうが いい	都合が いい	方便（時間是否合適）
つごうが わるい	都合が 悪い	不方便（時間是否合適）
ちょうし	調子	情況，狀態

りょう	寮	宿舍
かんりにん	管理人	管理員
ゆうしょく	夕食	晚飯
おふろ		澡盆，澡堂
おゆ	お湯	洗澡水，熱水，開水
ガス		煤氣
せんたくき	洗濯機	洗衣機
～き	～機	～機
～かた	～方	～方法(表示方法)
こんな～		這樣的～ (指著實物舉例說明)
そんな～		那樣的～ (指著實物舉例說明)
あんな～		那樣的～ (指著實物舉例說明)
こうやって		這樣做(實際做著示範)
さきに	先に	先(比其他先進行)

＊　＊　＊　＊　＊

こちらは　【かんりにんさん】です。 こちらは　【管理人さん】です。		這位是【管理員】。 (介紹他人的時候)
おせわに　なります。	お世話に　なります。	請多關照。(今後遇到麻煩，請多關照)
こちらこそ		彼此彼此。 (回答對方所說的“どうぞよろしく”)

26課

☞1　だいどころの　なか　p. 334

第 26 課

文　型

1.　かぜを　ひいたんです。

2.　道が　わからないんですが、教えて　くださいませんか。

例　文

1.　日本語が　上手ですね。　どのくらい　勉強したんですか。
…センター で　1か月ぐらい　勉強しました。

2.　きょうは　あまり　食べませんね。　どう　したんですか。
…おなかが　痛いんです。

3.　今晩　パーティーに　行きますか。
…いいえ、行きません。　家内が　病気なんです。

4.　洗濯機が　動かないんですが、ちょっと　見て　くださいませんか。
…わかりました。　すぐ　行きます。

5.　時計を　買いたいんですが、どこで　買ったら　いいですか。
…駅の　近くの　時計屋が　いいと　思います。

会　話

寮に　入る

高　橋：　こちらは　寮の　管理人さんです。

ナロン：　ナロンです。　きょうから　お世話に　なります。
　　　　　どうぞ　よろしく　お願いします。

渡　辺：　渡辺です。　こちらこそ　どうぞ　よろしく。

渡　辺：　食堂は　ここです。　夕食は　8時半までです。

ナロン：　時間に　間に合わない　とき、どう　したら　いいですか。

渡　辺：　電話で　連絡して　ください。

ナロン：　はい。

渡　辺：　おふろは　ここで、洗濯機は　この　隣です。

ナロン：　あのう、おふろの　使い方が　よく
　　　　　わからないんですが・・・

渡　辺：　じゃ、あとで　説明します。　先に　部屋へ　行きましょう。

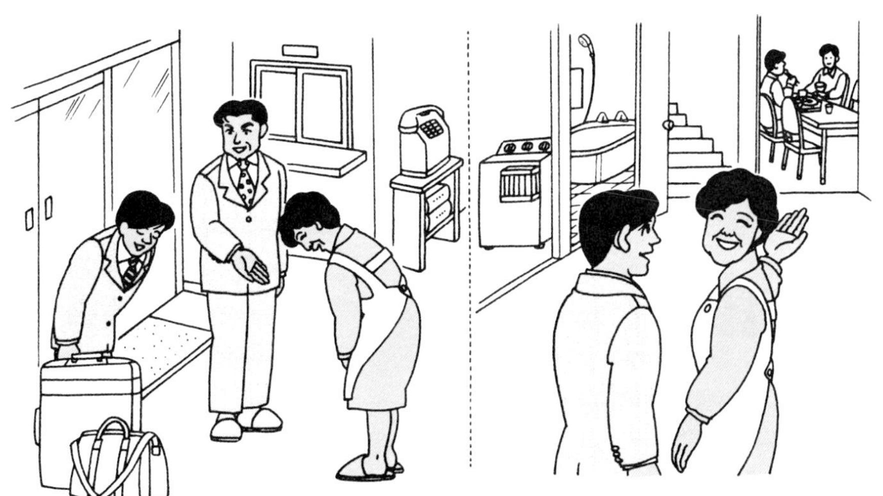

練習(れんしゅう) A

1.

いく いかない いった いかなかった	んです。

＊ きれいな きれいじゃ　ない きれいだった きれいじゃ　なかった	んです。

さむい さむくない さむかった さむくなかった	んです。

＊ びょうきな びょうきじゃ　ない びょうきだった びょうきじゃ　なかった	んです。

2.

いつ　日本(にほん)へ	きた	んですか。
日本(にほん)で　何(なに)を	べんきょうする	
日本(にほん)に　どのくらい	いる	

3. どうして　食(た)べないんですか。　……

おなかが	いたい	んです。
あまり	すきじゃ　ない	
おなかが	いっぱいな	

4. わたしは　パーティーに　行(い)きません。

友達(ともだち)と　約束(やくそく)が	ある	んです。
時間(じかん)が	ない	
都合(つごう)が	わるい	

5.

漢字(かんじ)が	わからない	んですが、	おしえて	くださいませんか。
機械(きかい)が	うごかない		みて	
電話(でんわ)を	かけたい		かして	

6.

駅(えき)へ	いきたい	んですが、	どうやって	いった	ら　いいですか。
切符(きっぷ)が	でない		どう	した	
時計(とけい)が	ほしい		どこで	かった	

練習　B

1.　例：　いい　時計ですね、　どこで　買いましたか
　　　……いい　時計ですね。　どこで　買ったんですか。

1）　日本語が　上手ですね、　どこで　習いましたか　……
2）　きれいな　写真ですね、　どこで　撮りましたか　……
3）　おいしい　お菓子ですね、　だれが　作りましたか　……
4）　すごい　車ですね、　いつ　買いましたか　……
5）　にぎやかですね、　何を　やって　いますか　……

2.　例：　どうして　食べないんですか。（おいしくないです）
　　　……おいしくないんです。

1）　どうして　会社を　休んだんですか。（熱が　ありました）　……
2）　どうして　テレビを　見ないんですか。（つまらないです）　……
3）　どうして　時間に　遅れたんですか。（バスが　来ませんでした）　……
4）　どうやって　ガスを　つけるんですか。（こうやって　つけます）　……
5）　どう　したんですか。（ドアが　開きません）　……

3.　例：　あした　パーティーに　行きますか。（都合が　悪いです）
　　　……いいえ、行きません。　都合が　悪いんです。

1）　自分で　料理を　作りますか。（寮に　食堂が　あります）　……
2）　けさ　新聞を　読みましたか。（時間が　ありませんでした）　……
3）　加藤さんは　いますか。（きょうは　休みです）　……
4）　刺身を　食べますか。（魚が　嫌いです）　……
5）　今晩　出かけますか。（レポートを　書かなければ　なりません）　……

4. 例： 掃除機の 使い方が わかりません、 教えます

……掃除機の 使い方が わからないんですが、教えて くださいませんか。

1） スーパーへ 行きたいです、 道を 教えます ……

2） 機械の 調子が おかしいです、 調べます ……

3） テレビが つきません、 見ます ……

4） お湯が 出ません、 見ます ……

5） 会社に 連絡したいです、 電話を 貸します ……

5. 例： 駅へ 行きたいです、 どうやって 行きますか

……駅へ 行きたいんですが、どうやって 行ったら いいですか。

1） 横浜公園へ 行きたいです、 どの バスに 乗りますか ……

2） 東京タワーへ 行きたいです、 どこで 地下鉄を 降りますか ……

3） 切符を 買いたいです、 どこで 買いますか ……

4） 細かい お金が ありません、 どう しますか ……

5） お釣りが 出ません、 どう しますか ……

練習　C

1.　A：　わあ、①いい　カメラですね。　どこで　買ったんですか。
　　B：　これですか。　②新宿で　買いました。
　　A：　そうですか。　わたしも　そんな　①カメラが　欲しいです。

　　　1）　①　きれいな　人形　　　②　京都
　　　2）　①　すごい　ラジカセ　　②　東京

2.　A：　きのうの　パーティーは　どうでしたか。
　　B：　とても　楽しかったですよ。
　　　　どうして　来なかったんですか。
　　A：　きのうは　忙しかったんです。

　　　1）　ちょっと　約束が　ありました
　　　2）　体の　調子が　悪かったです

3.　A：　あのう・・・
　　B：　はい、何ですか。
　　A：　洗濯機の　使い方が　わからないんですが、教えて　くださいませんか。
　　B：　洗濯機ですか。　こうやって　使うんですよ。
　　A：　そうですか。　ありがとう　ございました。

　　1）　掃除機の　使い方
　　2）　ガスの　つけ方

4.　A：　すみません。
　　　　大阪城へ　行きたいんですが、①どの　バスに　乗ったら　いいですか。
　　B：　②100番の　バスですよ。
　　A：　②100番の　バスですね。　どうも。

　　1）　①　どこで　降りますか　　　②　公園前
　　2）　①　どこで　乗り換えますか　②　大阪駅

問題（請配合本書錄音帶教材8 A進行練習）

1\.
1）＿＿＿＿＿＿＿＿＿＿
2）＿＿＿＿＿＿＿＿＿＿
3）＿＿＿＿＿＿＿＿＿＿
4）＿＿＿＿＿＿＿＿＿＿
5）＿＿＿＿＿＿＿＿＿＿

2\.
1）ナロンさんは　新宿で　（　　　　　）を　{a．借りました。 b．買いました。 c．換えました。}

2）加藤さんは　パーティーに　{a．行きました。 b．来ました。 c．来ませんでした。}
体の　調子が　（　　　　　）ですから。

3）ナロンさんは　（　　　　　）を　読む　ことが　できません。
{a．ひらがな b．漢字 c．日本語}が　わかりませんから。

4）ヒーターを　{a．つける b．消す c．開ける}とき、（　　　　　）を　押します。

5）（　　　　　）の　バスで　{a．横浜駅 b．横浜公園 c．横浜工場}へ　行く　ことが　できます。

26課

3.

例：行きます	行くんです	行かないんです	行ったんです	行かなかったんです
話します				
休みます				
あります				
食べます				
います				
します				
(日本へ) 来ます				
寒いです				
いいです				
好きです				
病気です				

4. 例： どうして　パーティーに　行かないんですか。(今晩は　都合が　悪いです)
……今晩は　都合が　悪いんです。

1) どう　したんですか。(かぜを　ひきました)
……

2) どうして　時間に　遅れたんですか。(バスが　来ませんでした)
……

3) どうやって　この　掃除機を　使うんですか。(こうやって　使います)
……

4) どうして　いっしょに　歌わないんですか。(わたしは　歌が　下手です)
……

5. 例： 今晩　パーティーに　行きますか。
……いいえ、行きません。　レポートを　書かなければ　ならないんです。

1) 刺身を　食べますか。
……いいえ、食べません。 ＿＿＿＿＿＿＿＿

2) けさ　新聞を　読みましたか。
……いいえ、読みませんでした。 ＿＿＿＿＿＿＿＿

3) よく　家族に　電話を　かけますか。
……いいえ、あまり　かけません。 ＿＿＿＿＿＿＿＿

4) 日曜日　遊びに　行きますか。
……いいえ、行きません。 ＿＿＿＿＿＿＿＿

6. 例1： クーラーの　調子が　おかしいです
……クーラーの　調子が　おかしいんですが、見て　くださいませんか。
例2： 安い　ワープロを　買いたいです
……安い　ワープロを　買いたいんですが、どこで　買ったら　いいですか。
1） 田中さんの　住所が　わかりません
……＿＿＿＿＿＿＿＿＿＿＿＿＿＿＿＿＿＿ くださいませんか。
2） シャワーの　お湯が　出ません
……＿＿＿＿＿＿＿＿＿＿＿＿＿＿＿＿＿＿ くださいませんか。
3） 銀座へ　行きたいです
……＿＿＿＿＿＿＿＿＿＿＿＿＿＿＿＿＿＿ いいですか。
4） 時計を　修理したいです
……＿＿＿＿＿＿＿＿＿＿＿＿＿＿＿＿＿＿ いいですか。

7. 例： ここで　たばこを　（吸っても，吸ったら，吸うと）　いいですか。
1） 初めまして。　ラオです。　インドから　（来ます，来ました，来たんです）。
2） いい　時計ですね。
どこで　（買うんですか，買ったんですか，買ったら　いいですか）。
……新宿で　買いました。
3） 日曜日　どこか　行きましたか。
……いいえ、（行きませんでした，行ったんです，行かなかったんです）。
頭が　痛かったんです。
4） どうして　豚肉を　食べないんですか。
……（嫌い，嫌いな，嫌いだ）んです。
5） ガスの　つけ方が　（わからないんですが，わかりませんから，
わからないと）、どうやって　つけたら　いいですか。

8. 例： ドア（　が　）　閉まります。
1） 会議の　時間（　　　）　遅れないで　ください。
2） 会社（　　　）　連絡したいんですが、電話を　貸して　くださいませんか。
3） スイッチ（　　　）　入れても、テレビ（　　　）　つきません。
4） この　ボタン（　　　）　押すと、ドア（　　　）　開きます。

第 27 課

うちます Ⅰ （うつ、うって） 打ちます（打つ、打って）		打
そうさします Ⅲ （～する、～して） 操作します		操作
みえます［やまが～］ Ⅱ （みえる、みえて） 見えます［山が～］（見える、見えて）		看得見［山］
きこえます［おとが～］ Ⅱ （きこえる、きこえて） 聞こえます［音が～］（聞こえる、聞こえて）		聽得見［聲音］
できます［うちが～］ Ⅱ （できる、できて）		［家］竣工，完成
つきます［にほんに～］ Ⅰ （つく、ついて） 着きます［日本に～］（着く、着いて）		到達［日本］
うみ	海	海
かわ	川	河流
こえ	声	聲音
じ	字	字
ゆうがた	夕方	傍晚
ゆうべ		昨晚
ウイスキー		威士忌酒
カーテン		窗簾
クリーニング		洗滌，洗衣店

むこう	向こう	對面
そば		旁邊
～がわ	～側	～側，方，邊
～め	～目	第～(表示順序)
かど	角	拐角(轉彎處)
じょうずに	上手に	好，高明
はっきり		淸楚
なかなか		容易(用於否定句)
どこでも		哪都行
～しか		僅僅～(用於否定句)

＊　＊　＊　＊　＊

いいえ。		不客氣。(對“どうもありがとうございました”的簡單回禮)

第27課

文型

1. わたしは　日本語が　少し　話せます。
2. わたしは　ひらがなは　書けますが、かたかなは　書けません。

例文

1. 日本語で　電話が　かけられますか。
…はい。　でも、まだ　上手に　かけられません。

2. ナロンさんは　泳げますか。
…はい。　でも、20メートルぐらいしか　泳げません。

3. 日本料理が　食べられますか。
…すき焼きや　てんぷらは　食べられますが、
刺身は　食べられません。

4. 新幹線から　富士山が　見えましたか。
…いいえ、見えませんでした。　天気が　悪かったんです。

5. わたしの　声が　よく　聞こえますか。
…いいえ。　すみませんが、もう　少し　大きい　声で　言って
くださいませんか。

6. 駅の　近くに　大きい　スーパーが　できましたね。
いつ　できたんですか。
…ことしの　4月です。

会話

道を　聞く

ナロン：　あのう、すみません。　上田1丁目は　まだですか。
男の人：　ええと・・・3つ目ですよ。
ナロン：　すみません。　そこに　着いたら、教えて
　　　　　くださいませんか。
男の人：　いいですよ。

ナロン：　ちょっと　すみません。
　　　　　スポーツセンターへ　行きたいんですが・・・
女の人：　スポーツセンターですか。
　　　　　ええと・・・向こうに　信号が　見えますね。
ナロン：　はい。
女の人：　あそこを　渡って、2つ目の　角を　右へ　曲がると、
　　　　　ありますよ。
ナロン：　2つ目の　角を　右ですね。
女の人：　そうです。　5，6分で　行けます。
ナロン：　そうですか。　どうも　ありがとう　ございました。
女の人：　いいえ。

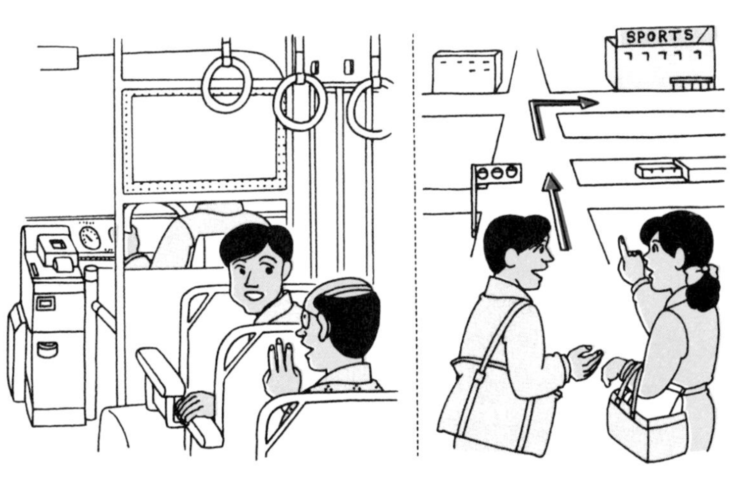

練習（れんしゅう） A

1.

		可能（かのう）
I	いきます	いけます
	およぎます	およげます
	のみます	のめます
	よびます	よべます
	とります	とれます
	つかいます	つかえます
	もちます	もてます
	なおします	なおせます

		可能（かのう）
II	たべます	たべられます
	かけます	かけられます
	ねます	ねられます
	かります	かりられます

		可能（かのう）
III	きます	こられます
	します	* できます

2. わたしは　かんじ／さしみ／くるま　が　よめます。／たべられます。／うんてんできます。

3. わたしは　まだ　日本語（にほんご）が　上手（じょうず）に／コンピューターが／ローマ字（じ）しか　はなせません。／そうさできません。／かけません。

4. ひらがな／すきやき／ピンポン　は　かけます／たべられます／できます　が、かたかな／さしみ／テニス　は　かけません。／たべられません。／できません。

5. 部屋（へや）から／ここから／自動車（じどうしゃ）の　うみ／ふじさん／おと　が　みえます。／みえます。／きこえます。

6. 新（あたら）しい／近（ちか）くに／カメラの　こうじょう／スーパー／しゅうり　が　できました。

練習　B

1.　例：　お酒を　飲みます　……お酒が　飲めます。
　　1）　日本語を　上手に　話します　……
　　2）　一人で　どこでも　行きます　……
　　3）　ワープロを　打ちます　……
　　4）　コンピューターを　操作します　……

2.　例：　かたかなが　書けますか。　……いいえ、まだ　書けません。
　　1）　車が　運転できますか。　……
　　2）　日本の　歌が　歌えますか。　……
　　3）　500メートル　泳げますか。　……
　　4）　日本語で　電話が　かけられますか。　……

3.　例：　ローマ字だけ　書けます　……ローマ字しか　書けません。
　　1）　ひらがなだけ　読めます　……
　　2）　タイプだけ　打てます　……
　　3）　20メートルだけ　泳げます　……
　　4）　日本語が　少しだけ　話せます　……

4.　例：　お金が　ありません、　カメラを　買いません
　　　　……お金が　ありませんから、カメラが　買えません。
　　1）　この　荷物は　重いです、　一人で　持ちません　……
　　2）　日本人の　名前は　難しいです、　なかなか　覚えません　……
　　3）　ゆうべは　暑かったです、　なかなか　寝ませんでした　……
　　4）　1か月しか　勉強しませんでした、　まだ　日本語を　上手に
　　　　話しません　……

5. 例：ひらがなや　かたかなが　書けますか。

……ひらがなは　書けますが、かたかなは　書けません。

1）牛肉や　豚肉が　食べられますか。　……

2）タイプや　ワープロが　打てますか。　……

3）たばこや　お酒が　やめられますか。　……

4）200万円　あったら、車や　うちが　買えますか。　……

6. 例：字が　小さいです、　よく　見えません

……字が　小さいですから、よく　見えません。

1）音が　小さいです、　よく　聞こえません　……

2）天気が　悪かったです、　富士山が　見えませんでした　……

3）テレビが　はっきり　見えません、　カーテンを　閉めて　ください　……

4）声が　よく　聞こえません、　もう　少し　大きい　声で　言って　ください　……

7. 例：いつ　あの　橋が　できましたか。（2年まえ）

……2年まえに　できました。

1）いつ　写真が　できますか。（きょうの　夕方）　……

2）駅の　そばに　何が　できますか。（ホテル）　……

3）いつまでに　カメラの　修理が　できますか。（あしたの　夕方）　……

4）いつまでに　クリーニングが　できますか。（あさって）　……

練習　C

1.　A：　日本語が　話せますか。

　　B：　いいえ、まだ　あまり　話せません。

　　A：　大丈夫ですよ。　すぐ　上手に　なりますよ。

　　　　頑張って　ください。

　　1）　かたかなを　書きます

　　2）　ワープロを　打ちます

2.　A：　日曜日　うちへ　遊びに　来ませんか。

　　B：　はい。　ありがとう　ございます。

　　A：　①日本料理が　食べられますか。

　　B：　②てんぷらは　①食べられますが、③刺身は　だめです。

　　1）　①　お酒が　飲めます　　②　ビール　　③　ウイスキー

　　2）　①　肉が　食べられます　　②　牛肉　　③　豚肉

3．　A：　ちょっと　すみません。　郵便局へ　行きたいんですが・・・
B：　郵便局ですか。　向こうに　①銀行が　見えますね。
A：　はい。
B：　②あの　銀行の　隣に　あります。
A：　そうですか。　どうも。

1）　①　信号　　②　あそこを　右へ　曲がると、左側
2）　①　橋　　②　あの　橋を　渡ると、右側

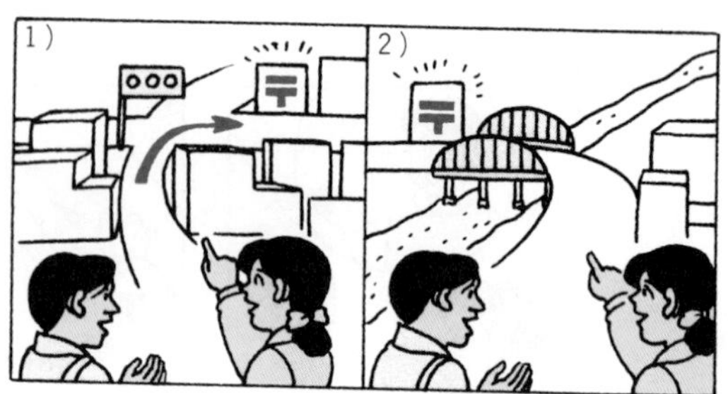

4．　A：　すみません。　①カメラの　修理を　お願いします。
B：　はい。
A：　②あしたまでに　できますか。
B：　②あしたは　ちょっと・・・
③あさってですね。
A：　わかりました。　じゃ、お願いします。

1）　①　クリーニング　　②　夕方　　③　あしたの　午後
2）　①　時計の　修理　　②　月曜日　　③　火曜日

問題（請配合本書錄音帶教材８Ａ進行練習）

1．
1）＿＿＿＿＿＿＿＿＿＿
2）＿＿＿＿＿＿＿＿＿＿
3）＿＿＿＿＿＿＿＿＿＿
4）＿＿＿＿＿＿＿＿＿＿
5）＿＿＿＿＿＿＿＿＿＿

2．
1）リーさんは　（　　　　　）が　まだ　上手に
{ a．使えます。　b．使えません。　c．練習できます。 }

2）ナロンさんは　（　　　　　）は　食べられますが、
刺身や　すしは　{ a．食べられます。　b．食べられません。　c．好きです。 }

3）郵便局は　信号を　{ a．渡る　b．右へ　曲がる　c．左へ　曲がる }　と、（　　　　　）に
あります。

4）車の　音が　{ a．見えます　b．聞こえます　c．聞こえません }　から、夜　よく　（　　　　　）。

5）{ a．先週　b．先月　c．３月に }　駅の　近くに　（　　　　　）が　できてから、便利に
なりました。

3.

例：行きます	行けます	行ける	呼びます		
書きます			買います		
泳ぎます			食べます		
話します			寝ます		
打ちます			（日本へ）来ます		
飲みます			します		
帰ります			運転します		

4. 例：　故障を　直す　ことが　できます　……故障が　直せます。
   1）　英語を　話す　ことが　できます　……
   2）　コンピューターを　使う　ことが　できます　……
   3）　ことばを　なかなか　覚える　ことが　できません　……
   4）　10時の　新幹線に　乗る　ことが　できませんでした　……

5. 例1：　ひらがなが　書けますか。（はい）
   ……はい、書けます。
   例2：　漢字が　読めますか。（いいえ、まだ）
   ……いいえ、まだ　読めません。
   1）　ギターが　弾けますか。（はい）　……
   2）　コンピューターが　操作できますか。（いいえ、まだ）　……
   3）　6時に　来られますか。（はい）　……
   4）　日本語で　電話が　かけられますか。（いいえ、まだ）　……

6. 例：　ワープロ／コンピューター、　使います
   ……ワープロは　使えますが、コンピューターは　使えません。
   1）　英語／中国語、　話します　……
   2）　千円札／一万円札、　換えます　……
   3）　ひらがなや　かたかな／漢字、　読みます　……
   4）　ピンポン／テニス、　します　……

7\.

例：　信号を　<u>渡ると</u>、<u>公園</u>が　あります。

A：　ちょっと　すみません。

　　この　近くに　スーパーは　ありませんか。

B：　スーパーですか。　ええと・・・、向こうに

　　信号が　見えますね。

　　あそこを　渡って、＿＿＿の　＿＿＿を

　　＿＿＿へ　曲がると、ありますよ。

A：　＿＿＿の　＿＿＿を　＿＿＿ですね。

　　ありがとう　ございました。

8\. 例：　わたしは　日本語（　を　）　話す　ことが　できます。

1）　ナロンさんは　ひらがな（　　　）　書けます。

2）　サッカー（　　　）　できますが、テニス（　　　）　できません。

3）　会社の　そば（　　　）　レストラン（　　　）　できました。

4）　ここから、2，3分（　　　）　駅（　　　）　着きます。

9\. 例：　（ちょっと，早く，あまり）　待って　ください。

1）　タクシーが　（はっきり，なかなか，まっすぐ）　来ません。

2）　日本語が　まだ　（上手に，先に，ほんとうに）　話せません。

3）　地図が　ありますから、一人で　（どこへ，どこも，どこでも）　行けます。

4）　眼鏡を　かけると、物が　（なかなか，はっきり，ゆっくり）　見えます。

第 28 課

とります［メモを～］ I （とる、とって） 取ります（取る、取って）		做［筆記］
たのみます I （たのむ、たのんで） 頼みます（頼む、頼んで）		請求，委託
えらびます I （えらぶ、えらんで） 選びます（選ぶ、選んで）		挑選，選擇
さきます［はなが～］ I （さく、さいて） 咲きます［花が～］（咲く、咲いて）		［花］開
まじめ［な］		認眞［的］
うまい		好吃的，巧妙的
まずい		不好吃的
かたい	硬い	硬的
やわらかい	軟らかい	軟的
つよい	強い	強的
よわい	弱い	弱的
かわいい		可愛的
やさしい	優しい	溫和的
かれ	彼	他
かのじょ	彼女	她
あじ	味	味道
におい		氣味
いろ	色	顏色
かたち	形	形狀
デザイン		設計，圖案
しなもの	品物	物品
ねだん	値段	價錢
けいけん	経験	經驗

メモ		筆記
マニュアル		手册，指南
おべんとう	お弁当	便當
きっさてん	喫茶店	咖啡店
メニュー		菜單
ひ	日	日，日子
かぜ	風	風
ばんぐみ	番組	節目
ドラマ		戲劇
ニュース		新聞
やっと		總算(用於過去式，表示辛勞之後總算)
ずいぶん		相當(比想像、期待的更)
それに		而且(表示添加)
それで		因此

第28課

文型

1. 音楽を 聞きながら コーヒーを 飲みます。
2. 暇な とき、いつも テレビを 見て います。
3. 荷物も 多いし、雨も 降って いるし、タクシーで 帰ります。

例文

1. お茶を 飲みながら 話しませんか。
…そうですね。 あの 喫茶店に 入りましょう。

2. 工場の 中では 歩きながら たばこを 吸わないで ください。
…すみません。 これから 気を つけます。

3. 昼休みは いつも 何を して いますか。
…テレビを 見たり、みんなと 話したり して います。

4. いい 天気ですよ。 きょうは 出かけないんですか。
…ええ。 レポートも 書かなければ ならないし、手紙も 書きたいし、きょうは 寮に います。

5. どうして いつも この スーパーで 買い物するんですか。
…値段も 安いし、それに 品物も 多いですから。

会話

花見

ナロン：　わあ、きれいですね。

池　田：　ええ、ほんとうに　きれいですね。

石　川：　ことしは　なかなか　咲きませんでしたが、やっと
咲きました。

ナロン：　そうですか。　ずいぶん　人が　多いですね。

池　田：　ええ。　きょうは　日曜日だし、天気も　いいし・・・

石　川：　それに　ここの　桜は　有名ですからね。

ナロン：　そうですか。　日本人は　花を　見ながら　お酒を
飲んだり、歌ったり　するんですね。

池　田：　ええ。　わたしたちも　あの　桜の　下で　お弁当を
食べましょう。

練習(れんしゅう) A

1.

テレビを	み	ながら	ごはんを　食(た)べます。
コーヒーを	のみ		話(はな)しませんか。
	あるき		たばこを　吸(す)わないで　ください。

2.

暇(ひま)な　とき、いつも	音楽(おんがく)を	きいて	います。
	本(ほん)や　雑誌(ざっし)を	よんで	
	映画(えいが)を　見(み)たり、買(か)い物(もの)したり	して	

3.

風(かぜ)も	つよい	し、	雨(あめ)も	ふって　いる	し、どこも　行(い)きません。
頭(あたま)も	いたい		熱(ねつ)も	ある	
お金(かね)も	ない		時間(じかん)も	ない	

4. どうして　いつも　この　スーパーで　買(か)い物(もの)するんですか。

……	店(みせ)も	きれいだ	し、それに	人(ひと)も	しんせつです	から。
	値段(ねだん)も	やすい		品物(しなもの)も	いいです	
	場所(ばしょ)も	べんりだ		品物(しなもの)も	おおいです	

練習　B

1.　例：　テレビを　見ます、　ごはんを　食べます
　　　　……テレビを　見ながら　ごはんを　食べます。

　1）　コーヒーを　飲みます、　新聞を　読みます　……
　2）　ラジオを　聞きます、　車を　運転します　……
　3）　友達と　話します、　食事します　……
　4）　ギターを　弾きます、　歌を　歌います　……
　5）　歩きます、　いろいろ　考えます　……

2.　例：　お茶を　飲みます、　話しませんか
　　　　……お茶を　飲みながら　話しませんか。

　1）　辞書で　調べます、　専門の　本を　読みました　……
　2）　メモを　取ります、　講義を　聞いて　ください　……
　3）　マニュアルを　見ます、　コンピューターを　操作して　ください　……
　4）　仕事を　します、　たばこを　吸わないで　ください　……
　5）　機械を　操作します、　話さないで　ください　……

3.　例：　暇な　とき、　いつも　何を　して　いますか。（音楽を　聞きます）
　　　　……音楽を　聞いて　います。

　1）　休みの　日は　いつも　何を　して　いますか。（スポーツを　します）　……
　2）　土曜日は　いつも　何を　して　いますか。
　　　（買い物したり、映画を　見たり　します）　……
　3）　昼休みは　いつも　何を　して　いますか。
　　　（コーヒーを　飲みながら　みんなと　話します）　……
　4）　夜は　いつも　何を　して　いますか。
　　　（本を　読んだり、家族に　手紙を　書いたり　します）　……
　5）　いつも　どんな　番組を　見て　いますか。
　　　（ニュースや　ドラマを　見ます）　……

4. 例(れい)：　色(いろ)が　いいです、デザインが　いいです、この　服(ふく)を　買(か)います
……色(いろ)も　いいし、デザインも　いいし、この　服(ふく)を　買(か)います。

1）　硬(かた)いです、まずいです、この　肉(にく)は　食(た)べられません　……

2）　かわいいです、優(やさ)しいです、彼女(かのじょ)と　結婚(けっこん)したいです　……

3）　まじめです、経験(けいけん)が　あります、彼(かれ)に　この　仕事(しごと)を　頼(たの)みます　……

4）　疲(つか)れました、のどが　かわきました、あの　喫茶店(きっさてん)に　入(はい)りましょう　……

5）　駅(えき)から　近(ちか)いです、そばに　スーパーが　あります、ここは　便利(べんり)です　……

5. 例(れい)：　どうして　いつも　この　店(みせ)で　買(か)い物(もの)するんですか。
（値段(ねだん)が　安(やす)いです、品物(しなもの)が　多(おお)いです）
……値段(ねだん)も　安(やす)いし、それに　品物(しなもの)も　多(おお)いですから。

1）　どうして　いつも　この　レストランで　食(た)べるんですか。
（味(あじ)が　いいです、メニューが　多(おお)いです）　……

2）　どうして　朝(あさ)ごはんを　食(た)べないんですか。
（時間(じかん)が　ありません、あまり　食(た)べたくないです）　……

3）　どうして　どこも　行(い)かないんですか。
（本(ほん)が　読(よ)みたいです、手紙(てがみ)が　書(か)きたいです）　……

4）　どうして　この　花(はな)を　選(えら)んだんですか。
（色(いろ)が　きれいです、においが　いいです）　……

5）　どうして　いつも　この　喫茶店(きっさてん)に　入(はい)るんですか。
（コーヒーが　おいしいです、店(みせ)の　人(ひと)が　親切(しんせつ)です）　……

練習　C

1.　A：　しばらくですね。

　　B：　ええ。

　　A：　どこかで　①お茶を　飲みながら　話しませんか。

　　B：　じゃ、あの　②喫茶店に　入りましょう。

　　1）　①　食事します　　　　②　レストラン

　　2）　①　晩ごはんを　食べます　　②　店

2.　A：　①工場の　中では　②歩きながら　たばこを　吸わないで　ください。

　　B：　わかりました。　どこで　吸ったら　いいですか。

　　A：　あそこで　お願いします。

　　1）　①　工場　　　②　機械を　操作します

　　2）　①　事務所　　②　仕事を　します

3.　A：　よく　この　レストランへ　来るんですか。

　　B：　ええ、ここは　①料理も　おいしいし、②値段も　安いし、昼は　いつも　ここで　食べて　います。

　　A：　それで　人が　多いんですね。

1）　①　メニューが　多いです　　　②　味が　いいです

2）　①　会社から　近いです　　　②　料理が　すぐ　できます

4.　A：　これから　いっしょに　飲みに　行きませんか。

　　B：　すみません。　きょうは　ちょっと・・・

　　　　かぜも　ひいて　いるし、あした　横浜の　工場へ　行かなければ　なりませんから。

　　A：　そうですか、残念ですね。

1）　まだ　仕事が　終わりません

2）　体の　調子が　よくないです

問　題 （請配合本書錄音帶教材８Ａ進行練習）

1.　1）＿＿＿＿＿＿＿＿＿＿＿＿＿＿＿＿＿＿

　　2）＿＿＿＿＿＿＿＿＿＿＿＿＿＿＿＿＿＿

　　3）＿＿＿＿＿＿＿＿＿＿＿＿＿＿＿＿＿＿

　　4）＿＿＿＿＿＿＿＿＿＿＿＿＿＿＿＿＿＿

　　5）＿＿＿＿＿＿＿＿＿＿＿＿＿＿＿＿＿＿

2.　1）工場の　中では　機械を　（　　　　　）ながら　たばこを

{ a．吸って　ください。
  b．吸っても　いいです。
  c．吸わないで　ください。 }

2）リーさんは　今　（　　　　　）ながら　田中さんと

{ a．話して　います。
  b．食事して　います。
  c．散歩して　います。 }

3）昼休みは　友達と　（　　　　　）り、会社の　ロビーで

{ a．新聞を　読んだり
  b．コーヒーを　飲んだり
  c．ビールを　飲んだり }　して　います。

4）この　レストランは　（　　　　　）し、{ a．値段も　安い　b．値段も　高い　c．人も　多い }ですから、

いつも　ここで　食べて　います。

5）雨も　（　　　　　）し、荷物も　{ a．重い　b．多い　c．大きい }し、駅まで

タクシーで　行きます。

3．

例　1）　2）　3）　4）

例：テレビを　見ながら　ごはんを　食べます。
1）＿＿＿＿＿＿＿＿＿＿＿＿＿＿＿＿＿＿＿＿＿＿＿＿
2）＿＿＿＿＿＿＿＿＿＿＿＿＿＿＿＿＿＿＿＿＿＿＿＿
3）＿＿＿＿＿＿＿＿＿＿＿＿＿＿＿＿＿＿＿＿＿＿＿＿
4）＿＿＿＿＿＿＿＿＿＿＿＿＿＿＿＿＿＿＿＿＿＿＿＿

4．例：（買い物します）
いつも　この　スーパーで　（買い物して　います）が、
きのうは　休みでしたから、ほかの　店で　（買い物しました）。

1）（起きます）
毎朝　6時半ごろ　（　　　　　　　　　　）が、
けさは　7時半に　（　　　　　　　　　　）。

2）（行きます）
土曜日は　いつも　スポーツセンターへ　（　　　　　　　　　　）が、
あしたは　都合が　悪いですから、（　　　　　　　　　　）。

3）（作ります）
わたしの　会社は　自動車を　（　　　　　　　　　　）が、
来月から　新しい　タイプの　車を　（　　　　　　　　　　）。

4）（結婚します）
弟は　1年まえに　（　　　　　　　　　　）が、
わたしは　まだ　（　　　　　　　　　　）。

5．例：体の　（(調子)，故障，おなか）が　悪いですから、会社を　休みます。
1）この　花は　（味，におい，音）が　いいです。
2）この　スーパーは　安くて、いい　（品物，値段，経験）が　多いです。
3）この　店の　ハンバーグは　（デザイン，製品，味）が　いいです。
4）（趣味，色，メーカー）が　きれいですから、この　服を　選びました。

6． 例： 寒いです、 雨が 降って います、 タクシーで 行きます

……寒いし、雨も 降って いるし、タクシーで 行きます。

1） まじめです、 経験が あります、 彼に この 仕事を 頼みます

……

2） 値段が 安いです、 デザインが いいです、 この 靴を 買います

……

3） メニューが 多いです、 料理が すぐ できます、
いつも ここで 食べて います

……

4） ここは バスが ありません、 タクシーが 少ないです、 不便です

……

7．

> ナロンさんは センターで 6週間 日本語を 勉強しました。 今 名古屋の 工場で 実習して います。 実習は 月曜日から 金曜日まででです。 毎日の 実習は 5時ごろ 終わります。 実習が 終わってから、すぐ 寮へ 帰ります。 晩ごはんを 食べてから、いつも レポートを 書いたり、その 日に 習った ことばを 辞書で 調べたり して います。
>
> 休みの 日は よく 近くの 喫茶店へ 行って、コーヒーを 飲みながら 雑誌を 読みます。 この 店は 静かだし、それに 店の 人も 親切ですから、ナロンさんは ここが とても 好きです。

例1： ナロンさんは 今 センターで 勉強して います。 （ × ）

例2： ナロンさんは 今 名古屋で 実習して います。 （ ○ ）

1） いつも 寮へ 帰ってから、レポートを 書いて います。 （　　）

2） 晩ごはんを 食べてから、いつも 手紙を 書いたり、日本語を 勉強したり して います。 （　　）

3） ナロンさんが よく 行く 喫茶店は 静かで、店の 人も 親切です。 （　　）

4） この 店で ナロンさんは 音楽を 聞きながら 雑誌を 読みます。 （　　）

第 29 課

こわれます［いすが～］ Ⅱ （こわれる、こわれて） 　壊れます（壊れる、壊れて）		［椅子］壞了
われます［ガラスが～］ Ⅱ （われる、われて） 　割れます（割れる、割れて）		［玻璃］碎了
きれます［ひもが～］ Ⅱ （きれる、きれて） 　切れます（切れる、切れて）		［帶子］斷了
やぶれます［かみが～］ Ⅱ （やぶれる、やぶれて） 　破れます［紙が～］（破れる、破れて）		［紙］破了
よごれます［ふくが～］ Ⅱ （よごれる、よごれて） 　汚れます［服が～］（汚れる、汚れて）		［衣服］髒了
かかります［かぎが～］ Ⅰ （かかる、かかって） 　掛かります（掛かる、掛かって）		［鎖］鎖上了
こみます［みちが～］ Ⅰ （こむ、こんで） 　込みます［道が～］（込む、込んで）		［道路］擁擠
すきます［みちが～］ Ⅰ （すく、すいて） 　［道が～］		［道路］空著
おとします Ⅰ （おとす、おとして） 　落とします（落とす、落として）		扔下，丟失
すてます Ⅱ （すてる、すてて） 　捨てます（捨てる、捨てて）		扔掉
ひろいます Ⅰ （ひろう、ひろって） 　拾います（拾う、拾って）		拾，撿
まちがえます Ⅱ （まちがえる、まちがえて）		弄錯
さら	皿	盤子，碟子
ちゃわん		飯碗，茶碗
コップ		杯子
びん		瓶子
ガラス		玻璃
ひも		帶子
ふくろ	袋	袋子

ズボン		褲子
ポケット		口袋
くつした	靴下	襪子
てぶくろ	手袋	手套
さいふ	財布	錢包
ていき	定期	月票
てちょう	手帳	小筆記本
しょるい	書類	文件
いまの 【でんしゃ】	今の 【電車】	剛才的【電車】
ーりょうめ	ー両目	第～節車廂
あみだな	網棚	行李架
このくらい		這麼大

*　*　*　*　*

かまいません。	沒關係。(回答"すみません"的道歉)
ほんとうだ。	眞的。(同意對方所說的)
よかった。	太好了。(表示放心的時候)

☞2　ふくそうと　アクセサリー　p. 335

第29課

文　型

1.　電気が　ついて　います。
2.　この　いすは　壊れて　います。
3.　タクシーに　カメラを　忘れて　しまいました。

例　文

1.　この　部屋は　寒いですね。
…ええ。　あ、窓が　少し　開いて　いますよ。
ほんとうだ。　閉めましょう。

2.　この　タイプを　使っても　いいですか。
…その　タイプは　壊れて　いますから、あちらのを　使って　ください。

3.　すみません。　借りた　傘を　なくして　しまいました。
…かまいません。　高い　物じゃ　ありませんから。

4.　どう　したんですか。
…電車に　大切な　書類を　忘れて　しまったんです。

会　話

忘れ物

ラ　オ：　すみません。
　　　　　今の　電車に　かばんを　忘れて　しまったんですが・・・
駅　員：　どこに　置いたんですか。
ラ　オ：　ええと・・・2両目の　網棚の　上です。
駅　員：　どんな　かばんですか。
ラ　オ：　黒い　かばんです。　このくらいの・・・
駅　員：　何が　入って　いますか。
ラ　オ：　書類と　手帳が　入って　います。
駅　員：　じゃ、すぐ　連絡しますから、ちょっと　待って　いて
　　　　　ください。

駅　員：　ありましたよ。
ラ　オ：　ああ、よかった。
駅　員：　今　新宿駅に　ありますが、どう　しますか。
ラ　オ：　すぐ　取りに　行きます。

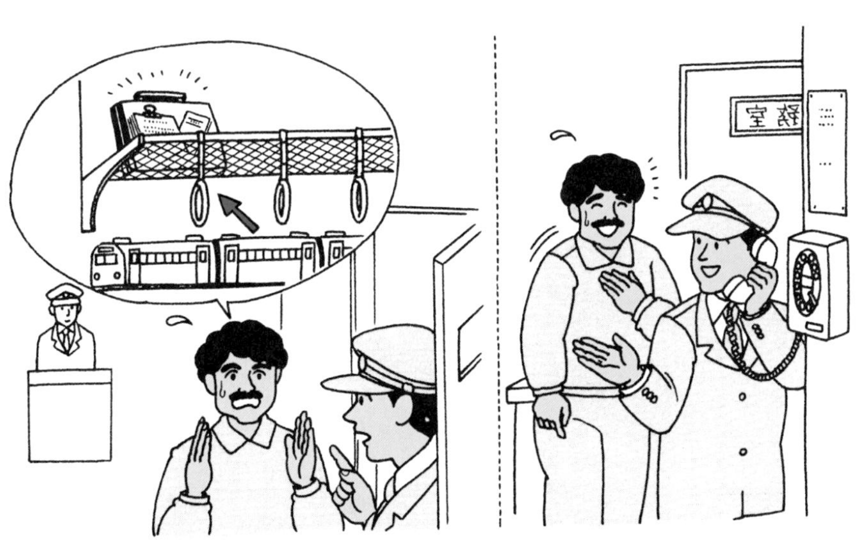

練習(れんしゅう)　A

1. | でんき | が | きえて | います。 |
|---|---|---|---|
| ドア | | しまって | |
| かぎ | | かかって | |

2. | この　いす | は | こわれて | いますから、使(つか)えません。 |
|---|---|---|---|
| この　ふくろ | | やぶれて | |
| その　きかい | | こしょうして | |

3. | かばんを | わすれて | しまいました。 |
|---|---|---|
| パスポートを | なくして | |
| ガラスが | われて | |

練習　B

1.　例：　……電気が　ついて　います。

☞　1）　……

2）　……

3）　……

4）　……

5）　……

6）　……

7）　……

2.　例：　電気が　消えます、　何も　見えません

……電気が　消えて　いますから、何も　見えません。

1）　ガラスが　割れます、　危ないです　……

2）　窓が　開きます、　寒いです　……

3）　カーテンが　閉まります、　暗いです　……

4）　かぎが　掛かります、　中に　入れません　……

5）　道が　込みます、　車が　なかなか　動きません　……

3.　例：　皿が　汚れます、　洗います

……この　皿は　汚れて　いますから、洗って　ください。

1）　機械が　故障します、　修理します　……

2）　部屋が　汚れます、　掃除します　……

3）　袋が　破れます、　換えます　……

4）　いすが　壊れます、　直します　……

5）　ちゃわんが　割れます、　捨てます　……

4. 例：切符を　買いました、なくしました
……切符を　買いましたが、なくして　しまいました。
1) 住所を　聞きました、忘れました ……
2) 地図を　持って　行きました、道を　まちがえました ……
3) タクシーで　行きました、時間に　遅れました ……
4) けさ　部屋を　掃除しました、もう　汚れました ……
5) ポケットに　財布を　入れました、落としました ……

5. 例：どうして　電話を　かけなかったんですか。（電話番号を　忘れました）
……電話番号を　忘れて　しまったんです。
1) どう　したんですか。（定期を　なくしました） ……
2) どうして　時間に　遅れたんですか。（道を　まちがえました） ……
3) どう　したんですか。（タクシーに　カメラを　忘れました） ……
4) どうして　車で　来なかったんですか。（故障しました） ……
5) どうして　カメラを　持って　来なかったんですか。（壊れました）
……

練習　C

1．　A：　渡辺さん、渡辺さん、いますか。
　　 B：　あ、かぎが　掛かって　いますよ。
　　 A：　ほんとうだ。　じゃ、いませんね。
　　 B：　ええ。　また　あとで　来ましょう。

1）　カーテンが　閉まります
2）　電気が　消えます

2．　A：　この　①タイプを　使っても　いいですか。
　　 B：　あ、それは　②壊れて　いますよ。
　　 　　 あちらのを　使って　ください。
　　 A：　はい、どうも。

1）　①　コップ　　　②　汚れます
2）　①　掃除機　　　②　故障します

3． Ａ： あのう、借りた ①傘を ②電車に 忘れて しまいました。
Ｂ： いいですよ。 高い 物じゃ ありませんから。
Ａ： どうも すみません。

1） ① 手袋　　② 落とします
2） ① 本　　② なくします

4． Ａ： どう したんですか。
Ｂ： ①タクシーに カメラを 忘れて しまったんです。
Ａ： それは 大変ですね。
すぐ ②タクシーの 会社に 電話で 聞いて あげますよ。
Ｂ： すみません。 よろしく お願いします。

1） ① 定期を なくします
② 駅に 連絡します
2） ① 電車に 大切な 書類を 忘れます
② 駅の 人に 聞きます

問(もん)題(だい)（請配合本書錄音帶教材８Ａ進行練習）

１． １）＿＿＿＿＿＿＿＿＿＿＿＿＿＿＿＿＿＿＿＿＿＿＿＿＿＿＿＿

　　２）＿＿＿＿＿＿＿＿＿＿＿＿＿＿＿＿＿＿＿＿＿＿＿＿＿＿＿＿

　　３）＿＿＿＿＿＿＿＿＿＿＿＿＿＿＿＿＿＿＿＿＿＿＿＿＿＿＿＿

２．

１）窓(まど)の　かぎが　（　　　　　）いますから、すぐ ｛a．買(か)います。／b．換(か)えます。／c．直(なお)します。｝

２）ナロンさんの　部屋(へや)は　かぎが ｛a．書(か)いて／b．かけて／c．掛(か)かって｝ います。

ナロンさんは　（　　　　　）。

３）この　掃除機(そうじき)は　（　　　　　）いますから、｛a．使(つか)えます。／b．使(つか)えません。／c．使(つか)って　います。｝

４）タクシーに　（　　　　　）を　（　　　　　）　しまいました。

それで ｛a．高橋(たかはし)さんに　電話(でんわ)で　聞(き)いて　もらいました。／b．自分(じぶん)で　電話(でんわ)を　かけて、聞(き)きました。／c．すぐ　タクシーの　会社(かいしゃ)へ　行(い)きました。｝

５）リーさんは ｛a．道(みち)で　財布(さいふ)を　なくして／b．会社(かいしゃ)で　財布(さいふ)を　落(お)として／c．どこかで　財布(さいふ)を　落(お)として｝ しまいました。

財布(さいふ)の　中(なか)には　お金(かね)が　（　　　　　）ぐらい　入(はい)って　いました。

3.

例：窓を　開けます	窓が　開きます
1）窓を　閉めます	
2）ガスを　つけます	
3）ガスを　消します	
4）車を　止めます	
5）ひもを　切ります	

4.

例：　いすが　壊れて　います。
1）＿＿＿＿＿＿＿＿＿＿
2）＿＿＿＿＿＿＿＿＿＿
3）＿＿＿＿＿＿＿＿＿＿
4）＿＿＿＿＿＿＿＿＿＿

5.　例：　ヒーターが　ついて　いますから、（　b　）
1）　電気が　消えて　いますから、（　　）
2）　窓が　開いて　いますから、（　　）
3）　びんが　割れて　いますから、（　　）
4）　かばんに　書類が　たくさん　入って　いますから、（　　）

a．危ないです。
b．暖かいです。
c．寒いです。
d．重いです。
e．暗いです。

6.　例：　この　機械は　故障して　いますから、（　修理して　）　ください。
1）　この　皿は　汚れて　いますから、（　　　）　ください。
2）　この　びんは　割れて　いますから、（　　　）　ください。
3）　ドアが　開いて　いますから、（　　　）　ください。
4）　ロビーの　テレビが　ついて　います。　だれも　見て　いませんから、（　　　）　ください。

7.　例：　会社に　（遅れます　…　遅れて　）　しまいました。
1）　どこかで　財布を　（落とします　…　　　）　しまいました。
2）　洗濯機が　（壊れます　…　　　）　しまいました。
3）　コンピューターの　操作を　（まちがえます　…　　　）　しまいました。
4）　きのう　買った　定期を　（なくします　…　　　）　しまいました。

8. 例： 故障（ を ） 直します。

1） うちの 前に 車（　　） 止まって います。
ここに 車（　　） 止めないで ください。

2） 窓（　　） 開いて います。
寒いですから、窓（　　） 閉めて ください。

3） 洗濯機（　　） 壊れて います。
この 洗濯機（　　） 壊れて いますから、使えません。

4） 電車（　　） かばんを 忘れて しまいました。
駅の 前（　　） 財布を 拾いました。

9.

> きのう ナロンさんは 財布を 落として しまいました。 財布の 中には お金と 名刺と 寮の 電話番号を 書いた 紙が 入って いました。
> きのうは 5時に 実習が 終わってから、近くの スーパーで 買い物しました。 それから 寮へ 帰って、服を 換える とき、「あっ」と 思いました。 ナロンさんは 朝 ズボンの ポケットに 財布を 入れました。 けれども、ポケットには 何も 入って いませんでした。 すぐ スーパーまで 行って、店の 中を よく 見ました。 でも、財布は ありませんでした。
> 夜 知らない 女の 人から 電話が ありました。 その 女の 人は スーパーの 近くで ナロンさんの 財布を 拾ったと 言いました。
> ナロンさんは その 人の 住所を 聞いて、すぐ 財布を もらいに 行きました。

1） ナロンさんは どこで 財布を 落としましたか。

____

2） だれが 財布を 拾って くれましたか。

____

3） 財布の 中には 何が 入って いましたか。

____

4） 電話を もらってから、ナロンさんは どう しましたか。

____

第 30 課

かけます Ⅱ (かける、かけて) 掛けます (掛ける、掛けて)		掛
ならべます Ⅱ (ならべる、ならべて) 並べます (並べる、並べて)		排列
はります Ⅰ (はる、はって)		貼
しまいます Ⅰ (しまう、しまって)		整理，收拾
のせます Ⅱ (のせる、のせて) 載せます (載せる、載せて)		放上去，裝載
おろします Ⅰ (おろす、おろして) 降ろします (降ろす、降ろして)		取下，卸下
じゅんびします Ⅲ (～する、～して) 準備します		準備
ふきます Ⅰ (ふく、ふいて)		擦，抹
そのままに します		按照原來那樣做
かべ	壁	牆壁
たな	棚	棚子，架子
ひきだし	引き出し	抽屜
テーブル		桌子
だい	台	台，座
れいぞうこ	冷蔵庫	電冰箱
そうこ	倉庫	倉庫
ハンガー		衣架
カレンダー		月曆，日曆
ポスター		海報
こうぐ	工具	工具
ドリル		鑽頭
ハンマー		鐵錘

さぎょう	作業	作業，操作
しりょう	資料	資料
まわり	周り	附近，周圍
まんなか	真ん中	正中央
もとの　ところ	元の　所	原來的地方
まだ		還、而且(用於肯定句)
きれいに		乾淨地
きちんと		有條不紊地

＊　＊　＊　＊　＊

ごくろうさま[でした]。　　辛苦了！
　ご苦労さま[でした]。　　(上司對下屬的辛勞表示慰問)

☞3　いち・ほうがく　p. 336
5　さぎょうどうさと　こうぐ　p. 338

第30課

文型

1. 壁に　絵が　掛けて　あります。
2. 旅行に　行く　まえに、切符を　買って　おきます。

例文

1. あそこに　ポスターが　はって　ありますね。
   …ええ。　あれは　旅行の　案内です。

2. すみません。　ドライバーは　どこですか。
   …その　引き出しの　中に　しまって　ありますよ。

3. 午後の　会議までに　何を　して　おいたら　いいですか。
   …そうですね。　この　資料を　読んで　おいて　ください。

4. 作業が　終わったら、道具を　きちんと　しまって　おいて　ください。
   …はい、わかりました。

5. この　荷物を　片づけましょうか。
   …いいえ。　わたしが　やりますから、そのままに　して　おいて　ください。

会話

工具を 使う

小川：きょうは 工具の 使い方を 実習します。

アリ：はい。

小川：マニュアルを 見て、使う 物を その 台の 上に 並べて ください。

アリ：わかりました。
あのう、ドリルは どこですか。

小川：あの 箱の 中に しまって ありますよ。

小川：きょうは これで 終わります。
使った 工具を よく ふいて、元の 所に しまって おいて ください。

アリ：はい、わかりました。

小川：じゃ、ご苦労さまでした。

練習(れんしゅう) A

1.

ロビー	に	テレビ	が	おいて	あります。
かべ		カレンダー		かけて	
そうこ		にもつ		いれて	

2.

かばん	は	つくえの　した	に	おいて	あります。
パスポート		ひきだし		しまって	
ふく		ハンガー		かけて	

3.

会議(かいぎ)の　まえに、資料(しりょう)を	じゅんびして	おきます。
	コピーして	
	よんで	

4. この　荷物(にもつ)を　片(かた)づけましょうか。

……いいえ、わたしが　やりますから、		そのままに　して	おいて
	そこに	おいて	
	そこに	のせて	

くださ い。

練習　B

1．例：ノートに　名前を　書きます　……ノートに　名前が　書いて　あります。

1）あそこに　冷蔵庫を　置きます　……

2）机の　上に　本を　並べます　……

3）引き出しに　部品を　しまいます　……

4）壁に　工具を　掛けます　……

5）棚に　荷物を　載せます　……

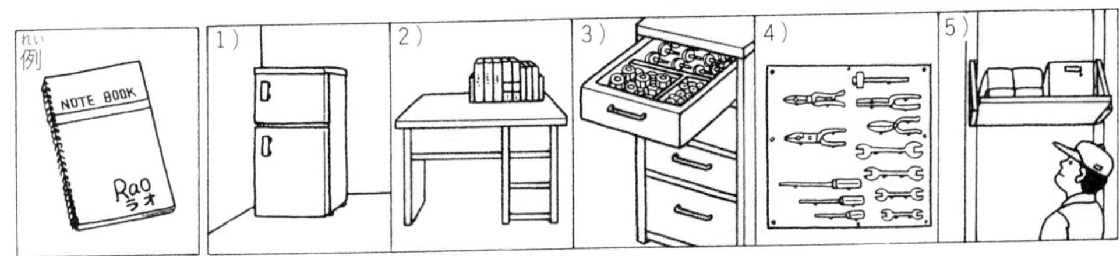

2．例：テーブルの　上に　何が　ありますか。（置きます）
……果物が　置いて　あります。

1）棚の　上に　何が　ありますか。（載せます）……

2）机の　前の　壁に　何が　ありますか。（掛けます）……

3）テーブルの　周りに　何が　ありますか。（置きます）……

4）電話の　そばに　何が　ありますか。（はります）……

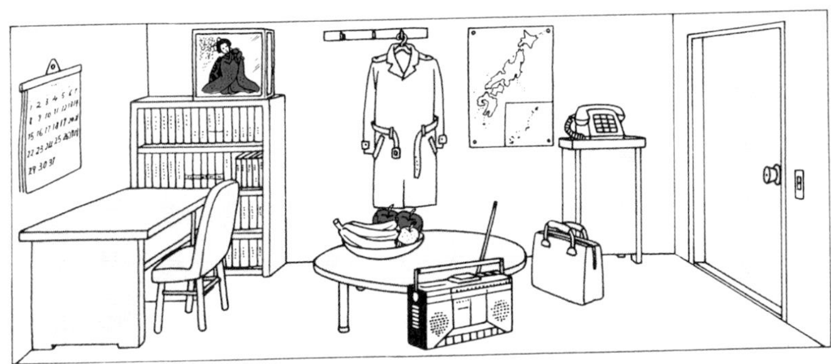

3．例：テーブルは　どこですか。
……部屋の　真ん中に　置いて　あります。

1）本は　どこですか。……

2）電話は　どこですか。……

3）地図は　どこですか。……

4）コートは　どこですか。……

4．　例：　旅行に　行く　まえに、切符を　買います
　　　……旅行に　行く　まえに、切符を　買って　おきます。
　1）　旅行に　行く　まえに、荷物を　準備します　……
　2）　パーティーの　まえに、飲み物を　買います　……
　3）　友達が　来る　まえに、部屋を　掃除します　……
　4）　会議の　まえに、資料を　よく　読みます　……

5．　例：　食事が　終わります、　テーブルの　上を　きれいに　片づけます
　　　……食事が　終わったら、テーブルの　上を　きれいに　片づけて
　　　　おいて　ください。
　1）　仕事が　終わります、　机の　上を　きちんと　片づけます　……
　2）　はさみを　使います、　元の　所に　しまいます　……
　3）　工具を　使います、　よく　ふきます　……
　4）　作業が　終わります、　部屋を　きれいに　掃除します　……

6．　例：　窓を　開けましょうか。（寒いです、　閉めます）
　　　……すみません。　寒いですから、閉めて　おいて　ください。
　1）　この　皿を　片づけましょうか。
　　　（まだ　食べて　います、　そこに　置きます）　……
　2）　ヒーターを　消しましょうか。
　　　（寒いです、　つけます）　……
　3）　工具を　片づけましょうか。
　　　（まだ　使って　います、　そのままに　します）　……
　4）　ドリルを　しまいましょうか。
　　　（また　あとで　使います、　そのままに　します）　……

練習　C

1.　A：　あそこに　①ポスターが　はって　ありますね。
　　　　あれは　何ですか。
　　B：　②旅行の　案内です。

　　1）　①　本を　並べます　　　②　コンピューターの　マニュアル
　　2）　①　荷物を　置きます　　②　車の　部品

2.　A：　すみません。　①はさみは　どこですか。
　　B：　①はさみですか。
　　　　②あの　引き出しに　しまって　ありますよ。
　　A：　そうですか。　どうも。

　　1）　①　ペンチ　　　②　壁に　掛けます
　　2）　①　ハンマー　　②　そこに　置きます

3．　A：　来週の　会議までに　何を　して　おいたら　いいですか。

　　B：　そうですね。　この　資料を　よく　読んで　おいて　ください。

　　A：　わかりました。

1）　この　資料を　コピーします

2）　先月の　会議の　資料を　見ます

4．　A：　この　工具を　①片づけましょうか。

　　B：　あ、また　あとで　使いますから、②そこに　置いて　おいて　ください。

　　A：　わかりました。

1）　①　あっちへ　持って　行きます　　　②　そのままに　します

2）　①　引き出しに　しまいます　　　　②　そこに　置きます

問題（請配合本書錄音帶教材8A進行練習）

1.
1）＿＿＿＿＿＿＿＿＿＿
2）＿＿＿＿＿＿＿＿＿＿
3）＿＿＿＿＿＿＿＿＿＿
4）＿＿＿＿＿＿＿＿＿＿
5）＿＿＿＿＿＿＿＿＿＿

2.
1）あそこに　紙が
- a．置いて　あります。
- b．はって　あります。
- c．掛けて　あります。

（　　　　　）と　書いて　あります。

2）（　　　　　）は　台の　上に
- a．並べて　あります。
- b．掛けて　あります。
- c．置いて　あります。

3）会議の　まえに、（　　　　　）を
- a．よく　調べて
- b．作って
- c．コピーして、よく　読んで

おきます。

4）作業が　終わったら、使った　工具を　（　　　　　）に
- a．しまって
- b．載せて
- c．掛けて

おいて　ください。

5）ハンマーや　ドリルは
- a．もう　使いません
- b．まだ　使って　います
- c．もう　片づけました

から、（　　　　　）に　して　おいて　ください。

3. 例

1)

2)

3)

4)

例：机の 上に 灰皿が 置いて あります。

1) ＿＿＿＿＿＿＿＿＿＿

2) ＿＿＿＿＿＿＿＿＿＿

3) ＿＿＿＿＿＿＿＿＿＿

4) ＿＿＿＿＿＿＿＿＿＿

4.

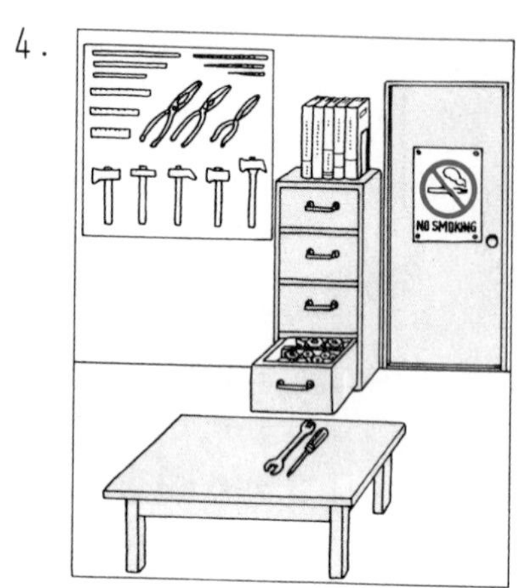

例：台の 上に 何が 置いて ありますか。

ドライバーと スパナが 置いて あります。

1) 引き出しに 何が しまって ありますか。

＿＿＿＿＿＿＿＿＿＿

2) ハンマーは どこに 掛けて ありますか。

＿＿＿＿＿＿＿＿＿＿

3)「禁煙」の 紙は どこに はって ありますか。

＿＿＿＿＿＿＿＿＿＿

4) マニュアルは どこですか。

＿＿＿＿＿＿＿＿＿＿

5. 例： クーラーを 消しましょうか。

……すみません。 暑いですから、つけて おいて ください。

1) 窓を 開けましょうか。

……すみません。 寒いですから、＿＿＿＿＿＿＿＿＿＿

2) ハンマーを しまいましょうか。

……すみません。 まだ 使って いますから、

台の 上に ＿＿＿＿＿＿＿＿＿＿

3) 荷物を 片づけましょうか。

……あとで わたしが やりますから、

そのままに ＿＿＿＿＿＿＿＿＿＿

4) テレビを 消しましょうか。

……まだ 見て いますから、＿＿＿＿＿＿＿＿＿＿

6. 例： 試験の まえに、本や ノートを よく 見て おきます。

1） パーティーの まえに、＿＿＿＿＿＿＿＿

2） 会議の まえに、＿＿＿＿＿＿＿＿

3） 食事が 終わったら、＿＿＿＿＿＿＿＿

4） 作業が 終わったら、＿＿＿＿＿＿＿＿

7. 例： あそこに 写真が はって （います，（あります），おきます）。

1） かぎが 掛かって （います，あります，おきます）から、部屋に 入れません。

2） 灰皿は どこですか。
……テーブルの 上に 置いて （います，あります，おきます）。

3） ずいぶん きれいな 部屋ですね。
……ええ、あなたが 来る まえに、掃除して （いた，あった，おいた）んです。

4） この はさみは どこに しまったら いいですか。
……机の 引き出しに しまって （いて，あって，おいて） ください。

8. 例： タクシーが （（なかなか），そろそろ，やっと） 来ません。

1） 仕事が 終わったら、机の 上を （ずっと，きっと，きちんと） 片づけて おきます。

2） 講義は 終わりましたか。
……いいえ、（もう，まだ，やっと） やって います。

3） テーブルが 汚れて いますから、（はっきり，上手に，きれいに） ふいて おいて ください。

4） 袋に 物を 入れる ときは、（先に，初めて，これから） 重い 物を 入れて、あとで 軽い 物を 入れます。

9. 例： 電気（ が ） ついて います。

1） 壁（　　） 絵（　　） 掛けて あります。

2） かばんは 机の 下（　　） 置いて あります。

3） 旅行に 行く まえに、荷物（　　） 準備して おきます。

4） 部屋を 掃除しましょうか。
……いいえ、わたし（　　） やりますから、そのままに して おいて ください。

復習　F

1.　例：　会議の　時間（ に ）　遅れて　しまいました。

1）　掃除機（　　）　使い方が　わからないんです（　　）、教えて　くださいませんか。

2）　わたしは　まだ　ワープロ（　　）　速く　打てません。

3）　すき焼き（　　）　食べられますが、刺身（　　）　食べられません。

4）　声（　　）　よく　聞こえません。　もう　少し　大きい　声（　　）　言って　ください。

5）　新幹線から　富士山（　　）　見えました。

6）　値段（　　）　安いし、品物（　　）　多いし、いつも　この　スーパーで　買い物して　います。

7）　電気（　　）　ついて　いますから、消して　ください。

8）　この　機械（　　）　故障して　いますから、使えません。

9）　あそこ（　　）　ポスター（　　）　はって　あります。

10）　かばん（　　）　机の　下（　　）　置いて　あります。

2.　例：　雨が　（降ります　…　降った　）ら、ピクニックに　行きません。

1）　どうして　きのう　会社を　（休みます　…　　　　）んですか。

…頭が　（痛いです　…　　　　）んです。

2）　わたしは　パーティーに　行きません。

家内が　（病気です　…　　　　）んです。

3）　東京タワーへ　行きたいんですが、どうやって

（行きます　…　　　　）ら　いいですか。

4）　いつも　ラジオを　（聞きます　…　　　　）ながら　車を　運転して　います。

5）　色も　（きれいです　…　　　　）し、デザインも

（いいです　…　　　　）し、この　服に　します。

6）　どう　したんですか。

…財布を　（落とします　…　　　　）　しまいました。

7）　はさみを　使ったら、元の　所に　（しまいます　…　　　　）　おいて　ください。

3．（　　　　）の　中に　「います」、「あります」、「おきます」、「しまいました」の　どれが　入りますか。

1）　休みの　日は　いつも　何を　して　いますか。
…スポーツセンターへ　行って、泳いで　（　　　　）。

2）　わたしの　コートは　どこですか。
…あそこの　ハンガーに　掛けて　（　　　　）。

3）　テレビを　消しても　いいですか。
…すみません。　まだ　見て　いますから、つけて　（　　　　）　ください。

4）　タクシーに　かばんを　忘れて　（　　　　）。
…じゃ、すぐ　タクシーの　会社に　連絡して　あげましょう。

5）　会社の　前に　止めて　（　　　　）　車は　だれのですか。
…加藤さんのです。

6）　寒いですね。
…あ、あそこの　窓が　開いて　（　　　　）よ。

7）　どう　したんですか。
…パスポートを　なくして　（　　　　）んです。

8）　会議の　まえに、何を　して　おいたら　いいですか。
…この　資料を　コピーして、よく　読んで　（　　　　）　ください。

4．例：　この　水は　汚れて　いますから、（　飲めません　）。

1）　この　洗濯機は　壊れて　いますから、（　　　　）。

2）　かぎが　掛かって　いますから、部屋に　（　　　　）。

3）　箱の　中に　本が　たくさん　入って　います。　重いですから、（　　　　）。

4）　切符を　買って　おきましたから、すぐ　新幹線に　（　　　　）。

5）　電話番号が　書いて　ある　手帳を　落として　しまいましたから、友達に　電話が　（　　　　）。

第 31 課

きゅうけいします Ⅲ（～する、～して） 休憩します		休息
そうだんします Ⅲ（～する、～して） 相談します		商量
きめます Ⅱ（きめる、きめて） 決めます（決める、決めて）		決定
まとめます Ⅱ（まとめる、まとめて）		歸納，聚集
たてます Ⅱ（たてる、たてて） 建てます（建てる、建てて）		建造
でます［だいがくを～］ Ⅱ（でる、でて） 出ます［大学を～］（出る、出て）		［大學］畢業
しゅっぱつします Ⅲ（～する、～して） 出発します		出發
しゅっちょうします Ⅲ（～する、～して） 出張します		出差
よてい	予定	預定
はる	春	春天
なつ	夏	夏天
あき	秋	秋天
ふゆ	冬	冬天
くうこう	空港	機場
いなか	田舎	鄉下
ちち	父	父親
はは	母	母親
あに	兄	哥哥
あね	姉	姐姐
しゃちょう	社長	公司社長，董事長
ぶちょう	部長	部長
かちょう	課長	科長

はじめ	初め	初，最初
おわり	終わり	結束
こんどの 【にちようび】 今度の 【日曜日】		這個【星期天】
ゆっくり		慢慢地
もうすぐ		即將
いっしょうけんめい	一生懸命	拚命地

* * * * *

いいなあ。	太好了。 （“なあ”表示感嘆）
よかったら、 【いっしょに いき】ませんか。 よかったら、 【いっしょに 行き】ませんか。	可以的話，【一起去】吧？ （聽對方的意願進行邀請）
え	啊 （表示驚異）
いいんですか。	行嗎？ （確認對方是否同意）
たのしみに して います。 楽しみに して います。	高興地等待。 （向對方表達自己的喜悅和期待）

第31課

文型

1. いっしょに　写真を　撮ろう。
2. あした　大阪城へ　行こうと　思って　います。
3. 来年　結婚する　つもりです。

例文

1. おなかが　すいたね。　何か　食べない？
   …うん、食べよう。

2. 今度の　日曜日は　何を　しますか。
   …友達と　テニスを　しようと　思って　います。

3. 実習の　レポートは　もう　書きましたか。
   …いいえ、まだ　書いて　いません。
   　これから　書こうと　思って　います。

4. 木村さんは　結婚したら、仕事を　やめますか。
   …いいえ、続ける　つもりです。

5. あした　家内が　日本へ　来ます。
   …そうですか。　何時ごろ　空港に　着くんですか。
   夕方　5時ごろ　着く　予定です。

会話

夏休みの　計画

高　橋：　もうすぐ　夏休みですね。　どこか　行きますか。
石　川：　ええ。　田舎へ　帰って、ゆっくり　休む　つもりです。
　　　　　高橋さんは？
高　橋：　友達と　軽井沢へ　行こうと　思って　います。
石　川：　軽井沢ですか。　いいなあ。
ナロン：　どんな　所なんですか。
石　川：　涼しくて、とても　いい　所ですよ。
高　橋：　ナロンさんの　予定は？
ナロン：　まだ　何も　決めて　いません。
高　橋：　じゃ、よかったら、いっしょに　軽井沢へ　行きませんか。
ナロン：　え、いいんですか。
高　橋：　ええ、かまいませんよ。　車で　行きますから。
ナロン：　ありがとう　ございます。　楽しみに　して　います。

練習 A

1.

	ます形		意向形	
I	いき	ます	いこ	う
	いそぎ	ます	いそご	う
	のみ	ます	のも	う
	よび	ます	よぼ	う
	おわり	ます	おわろ	う
	まち	ます	まと	う
	あい	ます	あお	う
	はなし	ます	はなそ	う

	ます形		意向形	
II	たべ	ます	たべ	よう
	はじめ	ます	はじめ	よう
	でかけ	ます	でかけ	よう
	み	ます	み	よう

	ます形		意向形	
III	き	ます	こ	よう
	し	ます	し	よう

2. いっしょに お茶を のもう。
映画を みよう。
しょくじしよう。

3. 日曜日は 東京タワーへ いこう と 思って います。
映画を みよう
デパートで かいものしよう

4. レポートは まだ まとめて いません。
かいて
だして

これから まとめよう と 思って います。
かこう
だそう

5. わたしは たばこを やめる つもりです。
30歳までに けっこんする
部長に そうだんする

31課

練習（れんしゅう）　B

1. 例（れい）：いっしょに　ごはんを　食（た）べましょう。
……いっしょに　ごはんを　食（た）べよう。
   1）いっしょに　テニスを　しましょう。……
   2）今晩（こんばん）　いっしょに　お酒（さけ）を　飲（の）みましょう。……
   3）少（すこ）し　休憩（きゅうけい）しましょう。……
   4）今晩（こんばん）　いっしょに　映画（えいが）を　見（み）に　行（い）きましょう。……

2. 例（れい）：日曜日（にちようび）は　友達（ともだち）と　大阪城（おおさかじょう）へ　行（い）きます
……日曜日（にちようび）は　友達（ともだち）と　大阪城（おおさかじょう）へ　行（い）こうと　思（おも）って　います。
   1）あした　友達（ともだち）と　出（で）かけます　……
   2）日曜日（にちようび）は　うちで　ゆっくり　休（やす）みます　……
   3）夏休（なつやす）みに　北海道（ほっかいどう）を　旅行（りょこう）します　……
   4）夏休（なつやす）みに　家族（かぞく）と　田舎（いなか）へ　帰（かえ）ります　……

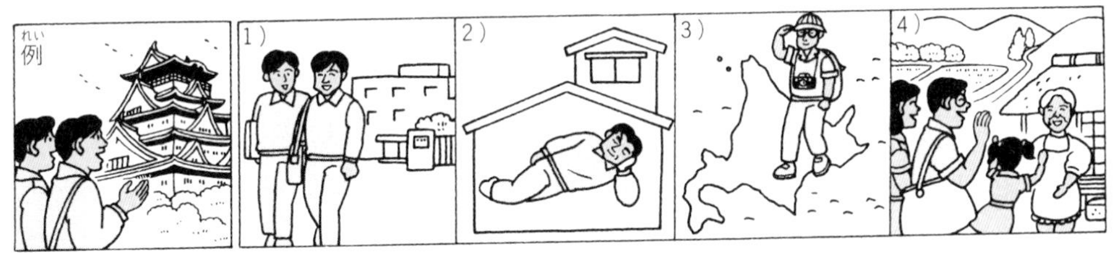

3. 例（れい）：昼（ひる）ごはんは　もう　食（た）べましたか。（これから）
……いいえ、まだ　食（た）べて　いません。
これから　食（た）べようと　思（おも）って　います。
   1）レポートは　もう　まとめましたか。（今晩（こんばん））……
   2）夏休（なつやす）みの　予定（よてい）は　もう　決（き）めましたか。（あしたまでに）……
   3）あの　映画（えいが）は　もう　見（み）ましたか。（今度（こんど）の　日曜日（にちようび））……
   4）ワープロの　修理（しゅうり）は　もう　頼（たの）みましたか。（これから）……

31課

4.　例：　たばこを　やめます

……たばこを　やめる　つもりです。

1）　来年　結婚します　……

2）　40歳までに　うちを　建てます　……

3）　一生懸命　技術を　習います　……

4）　国へ　帰ったら、習った　技術を　みんなに　教えます　……

5.　例：　いつ　結婚しますか。（来年　結婚します）

……来年　結婚する　つもりです。

1）　だれに　この　仕事を　頼みますか。（加藤さんに　頼みます）　……

2）　大学を　出たら、どう　しますか。（エンジニアに　なります）　……

3）　会社を　やめて、どう　しますか。（父の　仕事を　手伝います）　……

4）　いつ　実習の　予定を　決めますか。（来週　部長に　相談します）　……

6.　例：　ハンさんは　いつ　国へ　帰りますか。（8月の　終わりに）

……8月の　終わりに　帰る　予定です。

1）　部長は　いつ　大阪へ　出張しますか。（来週の　月曜日）　……

2）　加藤さんは　いつ　タイへ　行きますか。（あしたの　午後）　……

3）　飛行機は　何時に　空港に　着きますか。（夕方　6時）　……

4）　いつから　コンピューターの　操作を　実習しますか。（来週）　……

練習 C

1.　A：　あした　暇だったら、どこか　行かない？

　　B：　いいね。　どこへ　行く？

　　A：　新宿へ　行って、映画を　見よう。

　　B：　うん、そう　しよう。

　　　1）　食事します

　　　2）　お酒を　飲みます

2.　A：　夏休みに　どこか　行きますか。

　　B：　まだ　何も　決めて　いません。

　　A：　そうですか。　わたしは　富士山へ　行こうと　思って　います。

　　　　よかったら、いっしょに　行きませんか。

　　B：　ほんとうですか。　ありがとう　ございます。

　　　1）　田舎へ　帰ります

　　　2）　北海道を　旅行します

3.　A：　来週　国へ　帰ります。　いろいろ　お世話に　なりました。
　　B：　いいえ。
　　A：　国へ　帰ったら、一生懸命　働く　つもりです。
　　B：　そうですか。　頑張って　ください。

1）　習った　技術を　みんなに　教えます
2）　もっと　コンピューターを　勉強します

4.　A：　加藤さんは　いつ　①タイへ　行きますか。
　　B：　②今月の　終わりに　①行く　予定です。
　　A：　どのくらい　いるんですか。
　　B：　1週間ぐらいの　予定です。

1）　①　タイへ　出発します　　②　来週
2）　①　大阪へ　出張します　　②　来月の　初めに

問題（請配合本書錄音帶教材8 A進行練習）

1.
1）＿＿＿＿＿＿＿＿＿＿
2）＿＿＿＿＿＿＿＿＿＿
3）＿＿＿＿＿＿＿＿＿＿
4）＿＿＿＿＿＿＿＿＿＿
5）＿＿＿＿＿＿＿＿＿＿

2.
1）2人(ふたり)は　これから　（　　　　）で　{ a．食事(しょくじ)します。 b．ジュースを　飲(の)みます。 c．テレビを　見(み)ます。 }

2）木村(きむら)さんは　今度(こんど)の　（　　　　）
{ a．友達(ともだち)の　うちへ　遊(あそ)びに　行(い)きます。
b．友達(ともだち)と　買(か)い物(もの)に　行(い)きます。
c．友達(ともだち)と　映画(えいが)を　見(み)に　行(い)きます。 }

3）ナロンさんは　夏休(なつやす)みの　（　　　　）を
{ a．もう　決(き)めました。
b．もう　考(かんが)えました。
c．まだ　決(き)めて　いません。 }

4）国(くに)へ　帰(かえ)ったら、（　　　　）を　{ a．みんなに　教(おし)える b．一生懸命(いっしょうけんめい)　勉強(べんきょう)する c．教(おし)えて　もらう }

つもりです。

5）部長(ぶちょう)は　あした　夕方(ゆうがた)　（　　　　）の　飛行機(ひこうき)で　タイへ
{ a．帰(かえ)る
b．出張(しゅっちょう)する
c．来(く)る }　予定(よてい)です。

3.

例：行きます	行こう	呼びます		やめます	
書きます		買います		見ます	
急ぎます		待ちます		します	
休みます		出します		相談します	
帰ります		食べます		連れて　来ます	

4.　例：　昼ごはんは　もう　食べましたか。（これから）
　　……いいえ、まだ　食べて　いません。　これから　食べようと　思って　います。
1）　カメラは　もう　買いましたか。（今度の　日曜日）　……
2）　レポートは　もう　まとめましたか。（これから）　……
3）　荷物は　もう　送りましたか。（あした）　……
4）　手紙は　もう　書きましたか。（今晩）　……

5.　例：　国へ　帰ったら、すぐ　（結婚します　…　結婚する　）　つもりです。
1）　今晩　友達と　（出かけます　…　　　　）と　思って　います。
2）　日曜日は　うちで　ゆっくり　（休みます　…　　　　）と　思って　います。
3）　大学を　出たら、銀行で　（働きます　…　　　　）　つもりです。
4）　来年　3月の　終わりまで　日本に　（います　…　　　　）　予定です。

6.　例：　わたしは　きのう　京都へ　見物に　（行きます，(行きました)，行く　つもりです）。
1）　部長は　あしたから　広島へ
　　出張（して　います，しようと　思って　います，する　予定です）。
2）　わたしは　今晩　映画を　見に　（行く，行かない，行こう）と　思って　います。　たぶん　ラオさんも　（行く，行かない，行こう）と　思います。
3）　いっしょに　ビールを　飲まない？
　　……うん、いいね。　（飲まない，飲もう，飲んで）。
4）　リーさんは　どこですか。
　　……もう　12時ですから、たぶん　食堂に　いる
　　（予定です，つもりです，と　思います）。

7.　例：　12時から　1時（まで）　休憩します。

1）　問題が　あったら、部長（　　）　相談します。

2）　あしたから　大阪（　　）　出張します。

3）　この　新幹線は　6時に　東京（　　）　出発して、
　　8時半に　大阪（　　）　着きます。

4）　8月の　初め（　　）　家内（　　）　日本へ　来ます。

8.

　暑く　なりましたが、田中さん、お元気ですか。　こちらへ　実習に　来てから、1か月に　なります。　会社の　人は　親切で、寮の　渡辺さんも　いい　人ですから、今は　何も　問題が　ありません。　寮には　若い　人が　たくさん　住んで　います。　友達は　2，3人　できましたが、これから　もっと　いろいろな　人と　友達に　なりたいと　思って　います。　この間　会社の　人と　京都へ　行きました。　とても　きれいな　所でした。　来週　国から　妹が　日本へ　来る　予定です。　妹が　来たら、京都へ　連れて　行こうと　思って　います。

　実習は　忙しいですが、おもしろいです。　日本は　ほんとうに　技術が　進んで　いると　思います。　これから　日本の　技術を　一生懸命　習う　つもりです。

　じゃ、また　手紙を　書きます。田中さんも　毎日　忙しいと　思いますが、どうぞ　お元気で。

6月10日
田中一郎様

ナロン

＊　～様　：　～さん

例1：　ナロンさんは　田中さんに　手紙を　書きました。　（　○　）

例2：　田中さんは　ナロンさんに　手紙を　書きました。　（　×　）

1）　ナロンさんは　1か月まえに　会社へ　来ました。　（　　）

2）　ナロンさんは　会社へ　来てから、友達が　たくさん　できました。　（　　）

3）　ナロンさんは　妹さんを　京都へ　連れて　行く　つもりです。　（　　）

4）　ナロンさんは　国へ　帰ってから、日本の　技術を　一生懸命　習う　つもりです。　（　　）

第 32 課

はれます Ⅱ （はれる、はれて） 晴れます（晴れる、晴れて）	天晴
やみます［あめが～］ Ⅰ （やむ、やんで） ［雨が～］	［雨］停了
はいります［おふろに～］ Ⅰ （はいる、はいって） 入ります（入る、入って）	進［澡盆］
はかります Ⅰ （はかる、はかって） 測ります（測る、測って）	量，測量
つけます［くすりを～］ Ⅱ （つける、つけて） 付けます［薬を～］（付ける、付けて）	抹上［藥］
あがります［ねつが～］ Ⅰ （あがる、あがって） 上がります［熱が～］（上がる、上がって）	發燒，上升
さがります［ねつが～］ Ⅰ （さがる、さがって） 下がります［熱が～］（下がる、下がって）	退燒，下降
なおります［びょうきが～］ Ⅰ （なおる、なおって） 治ります［病気が～］（治る、治って）	［病］好了
でます［せきが～］ Ⅱ （でる、でて） 出ます（出る、出て）	咳嗽
します［けがを～］ Ⅲ （する、して）	受傷

からだに　いい	体に　いい	有利於身體
からだに　わるい	体に　悪い	有害於身體

エンジン		引擎
モーター		馬達
いしゃ	医者	醫生
かぜ		感冒
ねつ	熱	發燒
せき		咳嗽
アレルギー		過敏症
けが		受傷
やけど		燒傷，燙傷
のど		喉嚨
～ぶん	～分	～份（表示分量）
ずっと		一直（表示繼續）

＊　＊　＊　＊　＊

おだいじに。	お大事に。	請多保重。 （表示對病人的掛念）
よこに　なって　ください。 横に　なって　ください。		請躺下。

第32課

文　型

1. すぐ　病院へ　行った　ほうが　いいです。
2. あしたは　たぶん　いい　天気でしょう。
3. 午後から　雪が　降るかも　しれません。

例　文

1. どう　したんですか。
…おとといから　ずっと　熱が　あるんです。
じゃ、病院へ　行った　ほうが　いいですよ。

2. おふろに　入っても　いいですか。
…いいえ、入らない　ほうが　いいです。　熱が　ありますから。

3. あしたの　天気は　どうでしょうか。
…ずっと　いい　天気ですから、あしたも　晴れるでしょう。

4. どう　したんですか。
…のどが　痛いんです。
たぶん　かぜでしょう。　すぐ　薬を　飲んだ　ほうが
いいですよ。

5. ずいぶん　道が　込んで　いますね。
…そうですね。　約束の　時間に　間に合わないかも　しれません。

6. モーターの　音が　おかしいですね。
…ええ。　故障かも　しれません。　すぐ　調べて　もらいましょう。

会話

病院で

医　者：　どう　しましたか。

ナロン：　おとといから　のどが　痛くて、せきが　出るんです。

　　　　　それに　おなかも　痛いです。

医　者：　じゃ、シャツを　脱いで、そこに　横に　なって　ください。

医　者：　かぜですね。

ナロン：　そうですか。

医　者：　アレルギーは　ありませんか。

ナロン：　ありません。

医　者：　じゃ、薬を　3日分　出します。

ナロン：　あのう、会社へ　行っても　いいですか。

医　者：　ええ、大丈夫でしょう。

ナロン：　おふろは？

医　者：　きょうは　入らない　ほうが　いいですね。

ナロン：　わかりました。　ありがとう　ございました。

医　者：　お大事に。

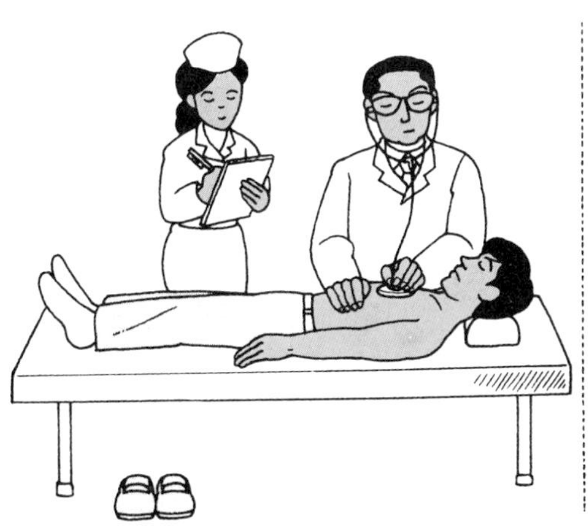

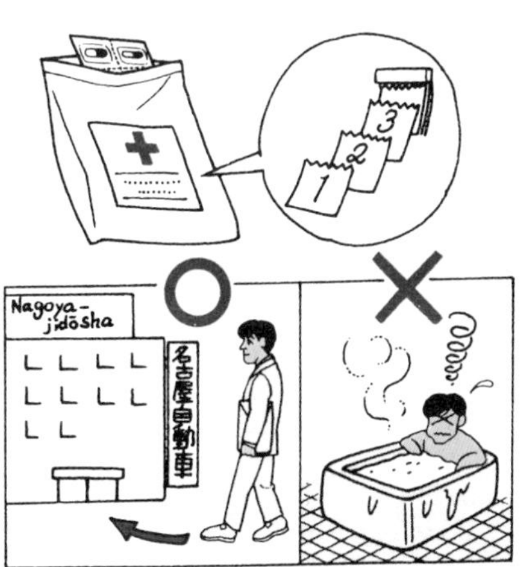

練習（れんしゅう）　A

1. | | | |
|---|---|---|
| 薬（くすり）を | のんだ | ほうが　いいです。 |
| 熱（ねつ）を | はかった | |
| お酒（さけ）を | のまない | |
| おふろに | はいらない | |

2. | | | | |
|---|---|---|---|
| あしたは　たぶん | 雨（あめ）が | ふる | でしょう。 |
| | | あつい | |
| | いい | てんき | |

3. | | | |
|---|---|---|
| 彼（かれ）は | おくれる | かも　しれません。 |
| | こない | |
| | びょうき | |

32課

練習　B

1.　例1：　体に　悪いです、　たばこを　やめます

……体に　悪いですから、たばこを　やめた　ほうが　いいです。

例2：　かぜです、　おふろに　入りません

……かぜですから、おふろに　入らない　ほうが　いいです。

1）　道が　込んで　います、　電車で　行きます　……

2）　あの　店は　高いです、　買いません　……

3）　ここは　車が　多いです、　気を　つけます　……

4）　体に　悪いです、　お酒を　飲みません　……

5）　機械の　調子が　おかしいです、　調べて　もらいます　……

2.　例：　きのうから　のどが　痛いんです。（薬を　飲みます）

……じゃ、すぐ　薬を　飲んだ　ほうが　いいですよ。

1）　おとといから　ずっと　熱が　あるんです。（病院へ　行きます）　……

2）　体の　調子が　悪いんです。（医者に　診て　もらいます）　……

3）　手に　けがを　して　しまったんです。（薬を　付けます）　……

4）　電車に　かばんを　忘れて　しまったんです。（駅の　人に　言います）　……

5）　パスポートを　なくして　しまったんです。（会社の　人に　相談します）　……

3.　例：　夕方から　雨が　降ります　……夕方から　雨が　降るでしょう。

1）　あしたは　いい　天気です　……

2）　日曜日は　晴れます　……

3）　あしたの　朝は　寒いです　……

4）　午後は　雨が　やみます　……

5）　これから　だんだん　暑く　なります　……

4．　例：　彼は　病気です、　たぶん　パーティーに　来ません
　　　　……彼は　病気ですから、たぶん　パーティーに　来ないでしょう。
　1）　薬を　飲みました、　すぐ　治ります　……
　2）　熱が　下がりました、　もう　大丈夫です　……
　3）　ずっと　いい　天気です、　あしたも　きっと　晴れます　……
　4）　きょうは　日曜日です、　道が　すいて　います　……
　5）　きょうは　道が　すいて　います、　早く　着きます　……

5．　例：　どう　したんですか。（エンジンの　音が　おかしいです、　故障です）
　　　　……エンジンの　音が　おかしいですから、故障かも　しれません。
　1）　土曜日までに　車の　修理が　できますか。
　　　（この　部品は　今　ありません、　できません）　……
　2）　今晩　パーティーに　行きますか。
　　　（まだ　仕事が　終わりません、　行けません）　……
　3）　どう　したんですか。
　　　（少し　熱が　あります、　かぜです）　……
　4）　あしたの　天気は　どうでしょうか。
　　　（きょうは　とても　寒いです、　雪が　降ります）　……
　5）　6時の　新幹線に　間に合いますか。
　　　（道が　込んで　います、　間に合いません）　……

練習(れんしゅう)　C

1.　A：　どう　したんですか。

　　B：　①きのうから　せきが　出(で)るんです。

　　A：　じゃ、②病院(びょういん)へ　行(い)った　ほうが　いいですよ。

　　B：　ええ。

　　　1）　①　やけどを　しました　　　②　薬(くすり)を　付(つ)けます

　　　2）　①　頭(あたま)が　痛(いた)いです　　　②　薬(くすり)を　飲(の)みます

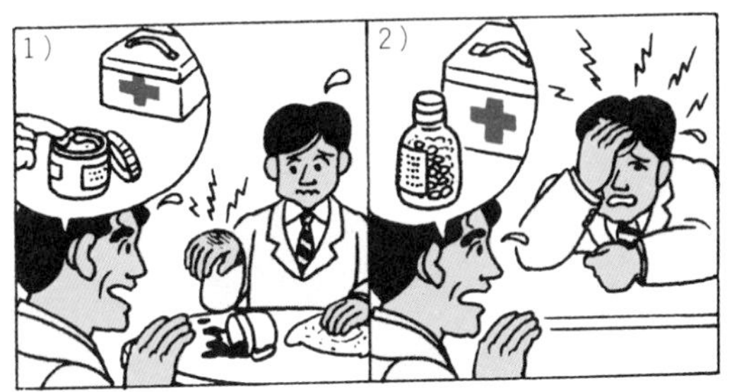

2.　A：　おふろに　入(はい)っても　いいですか。

　　B：　いいえ、入(はい)らない　ほうが　いいですね。

　　　　熱(ねつ)が　ありますから。

　　A：　わかりました。

　　　1）　シャワーを　浴(あ)びます

　　　2）　旅行(りょこう)に　行(い)きます

3．　A：　あした　いっしょに　富士山へ　行きませんか。
　　B：　いいですね。　でも、天気は　どうでしょうか。
　　A：　たぶん　いい　天気でしょう。　ずっと　いい　天気ですから。

1）　きっと　晴れます
2）　たぶん　大丈夫です

4．　A：　ずいぶん　道が　込んで　いますね。
　　B：　ええ。　1時までに　東京電気に　着かないかも　しれません。
　　A：　じゃ、電話で　連絡した　ほうが　いいですね。
　　B：　そう　しましょう。

1）　1時の　新幹線に　間に合いません
2）　約束の　時間に　遅れます

問題（請配合本書錄音帶教材8 A進行練習）

1.
1） ________________
2） ________________
3） ________________
4） ________________
5） ________________

2.
1） （　　　　）で　カメラを ｛a. 見せた／b. 買った／c. 買わない｝ ほうが　いいです。

2） きょう　シャワーを ｛a. 浴びた／b. 浴びる／c. 浴びない｝ ほうが　いいです。

（　　　　）が　ありますから。

3） ナロンさんの　病気は　たぶん　（　　　　）でしょう。

｛a. すぐ　病院へ　行った／b. 医者に　診て　もらった／c. 薬を　飲んで、休んだ｝ ほうが　いいです。

4） ずっと　（　　　　）ですから、あしたも　たぶん

｛a. 晴れる／b. 雨が　やむ／c. 雨が　降る｝でしょう。

5） 約束の　時間に　（　　　　）かも　しれませんから、

｛a. 電車で　行った／b. 急いだ／c. 電話を　かけた｝ ほうが　いいです。

3.　例：　頭が　痛いんですが・・・
　　……じゃ、（　病院へ　行った　）　ほうが　いいですよ。
1）　手に　少し　やけどを　して　しまいました。
　　……じゃ、（　　　　　　　　）　ほうが　いいですよ。
2）　薬を　飲んでも、なかなか　熱が　下がりません。
　　……じゃ、（　　　　　　　　）　ほうが　いいですよ。
3）　ボタンを　押しても、お釣りが　出ないんですが・・・
　　……じゃ、（　　　　　　　　）　ほうが　いいですよ。
4）　タクシーに　書類を　忘れて　しまったんですが・・・
　　……じゃ、（　　　　　　　　）　ほうが　いいですよ。

4.　例：　きょうは　暑いです。　あしたも　たぶん　（　暑い　）でしょう。
1）　部長は、今晩の　パーティーに　行きますか。
　　……たぶん　（　　　　）でしょう。
　　　あしたの　朝　早く　大阪へ　出張する　予定ですから。
2）　デパートは　きょう　すいて　いますか。
　　……いいえ。　日曜日ですから、きっと　（　　　　）でしょう。
3）　今晩は　ずいぶん　寒いですね。
　　……ええ。　雪が　（　　　　）かも　しれませんね。
4）　洗濯機の　音が　おかしいです。
　　……（　　　　）かも　しれませんね。　ちょっと　見て
　　　もらいましょう。

5.　例：　あしたは　きっと　（**晴れる**，晴れて，晴れた）でしょう。
1）　ナロンさんは　きょうも　会社を　休んで　います。
　　（病気，病気だ，病気の）かも　しれません。
2）　家族は　みんな　（元気，元気だ，元気な）と　思います。
3）　今週は　たぶん　いい　（天気，天気だ，天気の）でしょう。
　　来週は　天気が　悪く　（なり，なって，なる）かも　しれません。
4）　道が　込んで　いますから、
　　急いでも、（間に合う，間に合わない，間に合った）かも　しれません。

6．例：　頭が　（　痛い　）です。

1）　先週　かぜを　ひいて　しまいましたが、もう　（　　　　　）。

2）　ナイフで　けがを　（　　　　　）　しまいました。

3）　わたしは　アレルギーが　（　　　　　）から、この　薬は
飲めません。

4）　ちょっと　熱を　（　　　　　）　ください。

7．

> 先週は　たいへん　寒かったです。　それで　ナロンさんは　かぜを　ひいて　しまいました。　近くの　薬屋で　薬を　買って、飲みましたが、なかなか　治りませんでした。　せきも　出るし、のども　痛いし、きょうは　会社を　休みました。
>
> 午後から　病院へ　行って、医者に　診て　もらいました。　医者は　熱が　あるから、きょうは　おふろに　入らない　ほうが　いいと　言いました。ナロンさんは　薬を　3日分　もらって、寮へ　帰りました。　そして　もらった　薬を　飲んで、早く　寝ました。

例1：　ナロンさんは　かぜを　ひきました。　（　○　）

例2：　ナロンさんは　元気です。　（　×　）

1）　薬を　飲んでも、かぜは　なかなか　治りませんでした。　（　　　）

2）　かぜを　ひいて、すぐ　病院へ　行きました。　（　　　）

3）　病院で　薬を　3日分　もらいました。　（　　　）

4）　ナロンさんは　寮へ　帰って、おふろに　入って、それから　すぐ
寝ました。　（　　　）

第 33 課

まもります Ⅰ （まもる、まもって） 守ります（守る、守って）	遵守
はしります［みちを～］ Ⅰ （はしる、はしって） 走ります［道を～］（走る、走って）	［在路上］跑
はこびます Ⅰ （はこぶ、はこんで） 運びます（運ぶ、運んで）	搬運
あげます Ⅱ （あげる、あげて） 上げます（上げる、上げて）	舉起
さげます Ⅱ （さげる、さげて） 下げます（下げる、下げて）	降下
たしかめます Ⅱ （たしかめる、たしかめて） 確かめます（確かめる、確かめて）	確認
ちゅういします［くるまに～］ Ⅲ （～する、～して） 注意します［車に～］	注意［汽車］
しらせます Ⅱ （しらせる、しらせて） 知らせます（知らせる、知らせて）	通知
でんわします Ⅲ （～する、～して） 電話します	打電話
きがえます Ⅱ （きがえる、きがえて） 着替えます（着替える、着替えて）	換衣服
じゃま［な］　　邪魔［な］	礙事［的］

ごみ		垃圾
ランプ		指示燈
クレーン		吊車
レバー		操縱桿
トラック		卡車
きそく	規則	規則
きけん	危険	危險
あんぜん	安全	安全
だいいち	第一	最重要
あんぜんぐつ	安全靴	安全鞋
しようきんし	使用禁止	禁止使用
たちいりきんし	立入禁止	禁止入內
せいりせいとん	整理整頓	整理整頓
ほんしゃ	本社	總公司
ファックス		傳眞機，傳眞電報
ロッカー		保管箱
どういう～		怎樣的～，叫什麼～
さっき		剛才(用於過去式)
かならず	必ず	必定，一定

☞ 4　こうじょうの　なかで　よく　みる　ひょうじ　p. 337

第33課

文型

1. 規則を　守れ。
2. スイッチに　触るな。

例文

1. あそこに　何と　書いて　あるんですか。
…「止まれ」と　書いて　あります。

2. あの　漢字は　何と　読むんですか。
…「使用禁止」です。
どういう　意味ですか。
…使うなと　いう　意味です。

3. この　荷物は　邪魔だから、片づけて　くれ。
…わかりました。　すぐ　やります。

4. さっき　本社の　吉田さんから　電話が　ありました。
…そうですか。　何か　言って　いましたか。
会議の　資料を　送って　くれと　言って　いました。

会　話

安全指導を　受ける

中　村：　きょうから　この　ロッカーを　使って　ください。

リ　ー：　はい。

中　村：　工場に　入る　ときは、必ず　この　ヘルメットを
　　　　　かぶって、安全靴を　はいて　ください。

リ　ー：　わかりました。

中　村：　じゃ、すぐ　着替えて　ください。
　　　　　準備が　できたら、工場の　中を　案内します。

リ　ー：　すみません。　あれは　何と　読むんですか。

中　村：　「立入禁止」です。　ここに　入るなと　いう　意味ですよ。

リ　ー：　工場の　中には　規則が　たくさん　ありますね。

中　村：　ええ。　安全が　第一ですから。
　　　　　リーさんも　よく　守って　ください。

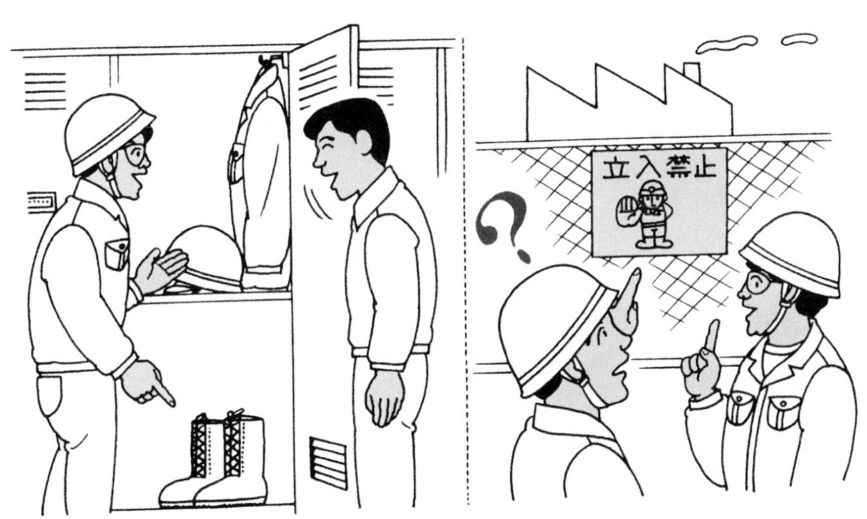

練習(れんしゅう)　A

1.

	ます形(けい)			命令形(めいれいけい)		禁止形(きんしけい)		
Ⅰ	い	き	ます	い	け	い	く	な
	いそ	ぎ	ます	いそ	げ	いそ	ぐ	な
	やす	み	ます	やす	め	やす	む	な
	よ	び	ます	よ	べ	よ	ぶ	な
	と	り	ます	と	れ	と	る	な
	つか	い	ます	つか	え	つか	う	な
	も	ち	ます	も	て	も	つ	な
	まわ	し	ます	まわ	せ	まわ	す	な

	ます形(けい)		命令形(めいれいけい)		禁止形(きんしけい)		
Ⅱ	とめ	ます	とめ	ろ	とめ	る	な
	いれ	ます	いれ	ろ	いれ	る	な
	み	ます	み	ろ	み	る	な
	い	ます	い	ろ	い	る	な

	ます形(けい)		命令形(めいれいけい)	禁止形(きんしけい)	
Ⅲ	き	ます	こい	くる	な
	し	ます	しろ	する	な

2.

ちょっと	まて。
早(はや)く	しろ。
機械(きかい)に	さわるな。
ここに　荷物(にもつ)を	おくな。

3. この　漢字(かんじ)は　［とまれ／ちゅういしろ／つかうな］　と　いう　意味(いみ)です。

4. この　荷物(にもつ)は　邪魔(じゃま)だから、

	かたづけて	くれ。
あっちへ	もって　いって	
倉庫(そうこ)に	しまって	

5. さっき　本社(ほんしゃ)の　吉田(よしだ)さんから　電話(でんわ)が　ありました。

あした　本社(ほんしゃ)へ	きて　くれ	と　言(い)って　いました。
1時(じ)から　会議(かいぎ)が	ある	
会議(かいぎ)の　資料(しりょう)を	おくった	

練習　B

1.　例1：　スイッチを　入れます　……スイッチを　入れろ。
　　例2：　車を　止めません　……車を　止めるな。

1）　スイッチを　切ります　……
2）　規則を　守ります　……
3）　レバーを　上げます　……
4）　スイッチを　確かめます　……
5）　部品を　持って　来ます　……
6）　ここに　ごみを　捨てません　……
7）　工場の　中を　走りません　……
8）　機械に　触りません　……

2.　例1：　あの　漢字は　どういう　意味ですか。（注意します）
　　　　……注意しろと　いう　意味です。
　　例2：　あの　漢字は　どういう　意味ですか。（たばこを　吸いません）
　　　　……たばこを　吸うなと　いう　意味です。

1）　あの　漢字は　どういう　意味ですか。
　　（きちんと　片づけます）　……
2）　あの　漢字は　どういう　意味ですか。
　　（スイッチを　確かめます）　……
3）　あの　漢字は　どういう　意味ですか。
　　（使いません）　……
4）　あの　漢字は　どういう　意味ですか。
　　（ここに　入りません）　……
5）　あの　漢字は　どういう　意味ですか。
　　（写真を　撮りません）　……

例1　注意
例2　禁煙

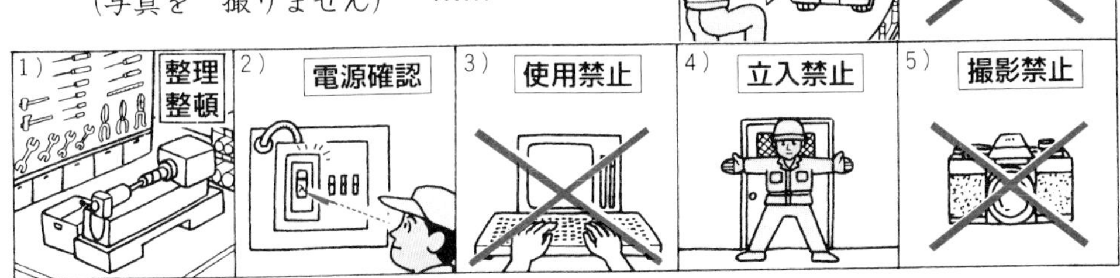

3.　例：　荷物を　運びます、　手伝います
　　　……荷物を　運ぶから、手伝って　くれ。

1）　今　行きます、　ちょっと　待ちます　……
2）　この　荷物は　重いです、　いっしょに　持ちます　……
3）　この　荷物は　邪魔です、　片づけます　……
4）　この　部品は　使いません、　しまいます　……
5）　この　箱は　要りません、　棚に　載せます　……

4.　例：　田中さんは　電話で　何と　言って　いましたか。
（センターに　電話して　ください）
……センターに　電話して　くれと　言って　いました。

1）　森さんは　電話で　何と　言って　いましたか。
（会議の　時間を　知らせて　ください）　……

2）　山田さんは　電話で　何と　言って　いましたか。
（10時に　本社へ　来て　ください）　……

3）　吉田さんは　電話で　何と　言って　いましたか。
（ファックスで　資料を　送って　ください）　……

4）　高橋さんは　電話で　何と　言って　いましたか。
（本社へ　書類を　持って　来て　ください）　……

5）　加藤さんは　電話で　何と　言って　いましたか。
（送った　資料を　見て　ください）　……

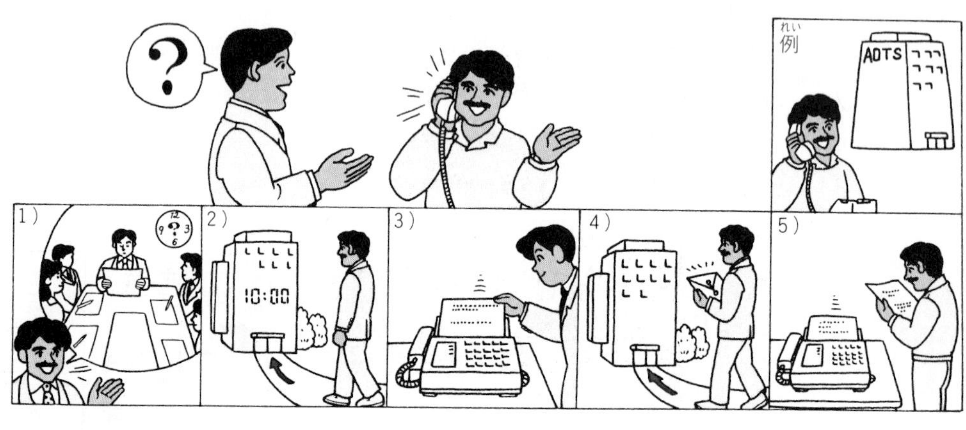

5.　例：　高橋さんは　いつ　大阪へ　出張しますか。（火曜日）
……火曜日　出張すると　言って　いました。

1）　高橋さんは　何で　大阪へ　行きますか。（飛行機）　……

2）　吉田さんは　何時に　こちらへ　来ますか。（午後1時）　……

3）　ナロンさんは　今晩　何時に　寮へ　帰りますか。（11時ごろ）　……

4）　ナロンさんは　だれと　軽井沢へ　行きますか。（高橋さん）　……

5）　高橋さんは　どのくらい　軽井沢に　いますか。（1週間ぐらい）　……

練習（れんしゅう）　C

1.　A：　危（あぶ）ない。　スイッチを　切（き）れ。
　　B：　はい。
　　A：　赤（あか）い　ランプが　ついたら、すぐ　スイッチを　切（き）って　ください。
　　B：　わかりました。

1）　機械（きかい）を　止（と）めます
2）　レバーを　下（さ）げます

2.　A：　すみません。　あの　漢字（かんじ）は　何（なん）と　読（よ）むんですか。
　　B：　①「使用禁止（しようきんし）」です。
　　A：　どういう　意味（いみ）ですか。
　　B：　②使（つか）うなと　いう　意味（いみ）です。

1）　①　立入禁止（たちいりきんし）　　②　ここに　入（はい）りません
2）　①　整理整頓（せいりせいとん）　　②　きれいに　片（かた）づけます

3．　A：　トラックが　着きました。
　　 B：　じゃ、荷物を　降ろして　くれ。
　　 A：　わかりました。　すぐ　やります。

1）　運びます
2）　倉庫へ　持って　行きます

4．　A：　さっき　吉田さんから　電話が　ありましたよ。
　　 B：　そうですか。　何か　言って　いましたか。
　　 A：　資料を　送って　くれと　言って　いました。
　　 B：　わかりました。

1）　電話します
2）　送った　資料を　見ます

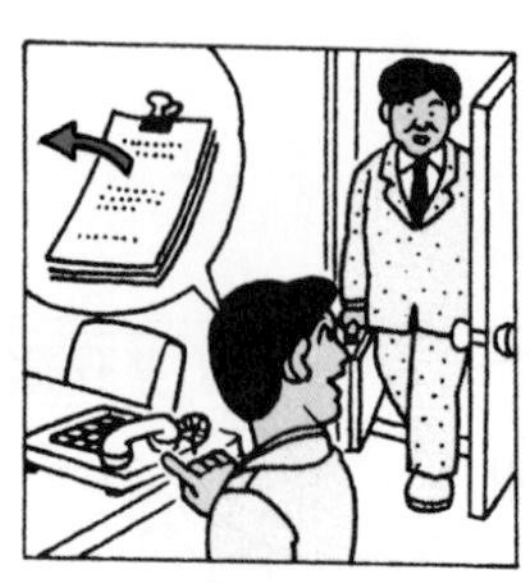

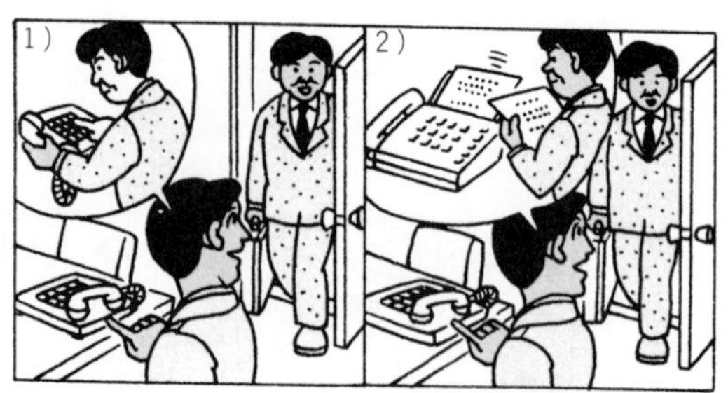

問題（請配合本書錄音帶教材８Ａ進行練習）

1.
1) ＿＿＿＿＿＿＿＿＿＿＿＿＿＿＿＿＿＿＿＿
2) ＿＿＿＿＿＿＿＿＿＿＿＿＿＿＿＿＿＿＿＿
3) ＿＿＿＿＿＿＿＿＿＿＿＿＿＿＿＿＿＿＿＿

2.
1) （　　　　）が　ついたら、必ず　スイッチを ｛a．入れろ。 b．切れ。 c．確かめろ。｝

2) あの　紙には　（　　　　）と　書いて　あります。
｛a．吸うな b．入るな c．使うな｝と　いう　意味です。

3) あの　漢字は ｛a．「危険」 b．「規則」 c．「注意」｝と　読みます。
（　　　　）と　いう　意味です。

4) この　荷物は ｛a．邪魔だ b．使わない c．重い｝から、
倉庫へ　（　　　　）　くれ。

5) 社長は ｛a．きょう b．あした c．あさって｝ 大阪へ　（　　　　）と　言って
いました。

33課

3.

例：行きます	行け	行くな	使います		
急ぎます			食べます		
休みます			閉めます		
遊びます			見ます		
取ります			します		
待ちます			運転します		
消します			(日本へ)来ます		

4.

例1： スイッチを 入れます ……スイッチを 入れろ。
例2： スイッチを 入れません ……スイッチを 入れるな。

1） スイッチを 切ります ……
2） レバーを 上げます ……
3） 部品を 持って 来ます ……
4） スイッチを もう 一度 確かめます ……
5） 工場の 中を 走りません ……
6） ここに ごみを 捨てません ……

5. 例： トラックが 着いたから、荷物を 降ろして くれ。

1） この 荷物は 重いから、ちょっと ＿＿＿＿＿＿＿＿
2） この 工具は 使わないから、＿＿＿＿＿＿＿＿
3） この 紙は 要らないから、＿＿＿＿＿＿＿＿
4） この 機械は 故障して いるから、＿＿＿＿＿＿＿＿

6．　例：　田中さんは　何と　言って　いましたか。（あとで　電話して　ください）

……あとで　電話して　くれと　言って　いました。

1）　部長は　何と　言って　いましたか。（会議の　資料を　作って　ください）　……

2）　山田さんは　何と　言って　いましたか。（資料を　送って　ください）　……

3）　社長は　何と　言って　いましたか。（午後　会議が　あります）　……

4）　社長は　いつ　タイへ　出張すると　言って　いましたか。（あした　行きます）　……

7．　例：　この　荷物は　邪魔だ。　すぐ　片づけて　（（くれ），ください，くださいませんか）。

1）　すみませんが、もう　少し　ゆっくり　（話せ，話して　くれ，話して　ください）。

2）　駅へ　行きたいんですが、道を　教えて　（あげませんか，もらいませんか，くださいませんか）。

3）　あ、危ない。　その　スイッチに　（触ろう，触れ，触るな）。

4）　医者は　体に　悪いから　たばこを　（やめない，やめろ，やめるな）と　言って　いました。

8．

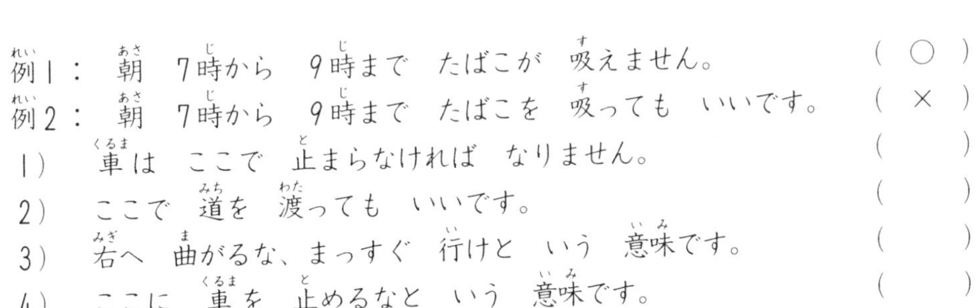

例1：　朝　7時から　9時まで　たばこが　吸えません。　（ ○ ）

例2：　朝　7時から　9時まで　たばこを　吸っても　いいです。　（ × ）

1）　車は　ここで　止まらなければ　なりません。　（　　）

2）　ここで　道を　渡っても　いいです。　（　　）

3）　右へ　曲がるな、まっすぐ　行けと　いう　意味です。　（　　）

4）　ここに　車を　止めるなと　いう　意味です。　（　　）

第 34 課

くみたてます Ⅱ （くみたてる、くみたてて） 組み立てます（組み立てる、組み立てて）		組裝，裝配
ぶんかいします Ⅲ （～する、～して） 分解します		拆卸，拆開
とりつけます Ⅱ （とりつける、とりつけて） 取り付けます（取り付ける、取り付けて）		安裝
はめます Ⅱ （はめる、はめて）		鑲嵌
しめます Ⅱ （しめる、しめて） 締めます（締める、締めて）		擰緊
ゆるめます Ⅱ （ゆるめる、ゆるめて） 緩めます（緩める、緩めて）		擰鬆
ちがいます［じゅんじょが～］ Ⅰ （ちがう、ちがって） 違います［順序が～］（違う、違って）		［順序］錯了，不同
あわてます Ⅱ （あわてる、あわてて） 慌てます（慌てる、慌てて）		慌張
じゅんじょ	順序	順序
ばんごう	番号	號碼
ず	図	圖
ひょう	表	表
せん	線	線
てん	点	點
せつめいしょ	説明書	說明書
サンプル		樣品

プログラム		程序
ミーティング		會議
もんだい	問題	麻煩，問題
バレーボール		排球
ねじ		螺絲
ボルト		螺帽
パッキング		墊圈
できるだけ		儘量地
うまく		順利地
しっかり		結實地
まず		首先
つぎに	次に	其次

＊　＊　＊　＊　＊

いけない。	不行，糟了。 (失敗時說的話)
【これ】で　いいですか。	【這樣】可以嗎？ (詢問是否可以)
うまく　いきましたね。	做得很好啊。 (用於成功的時候)

☞ 5　さぎょうどうさと　こうぐ　p. 338
6　きかい　p. 339
7　じょうたい・ようすを　あらわす　ことば　p. 340

第 34 課

文 型

1．　今　わたしが　やった　とおりに、エンジンを　組み立てて
　　ください。

2．　仕事が　終わった　あとで、会社の　人と　食事に　行きます。

3．　英語を　使わないで、日本語だけで　実習します。

例 文

1．　操作の　順序が　違いますよ。
　　さっき　わたしが　説明した　とおりに、やって　ください。
　　…はい、わかりました。

2．　機械が　動かないんですが・・・
　　…じゃ、わたしが　見て　いますから、もう　一度　マニュアルの
　　　とおりに、操作して　ください。

3．　きのう　課長が　帰った　あとで、本社から　電話が　ありました。
　　…わかりました。　すぐ　連絡します。

4．　実習に　ついて　何か　問題は　ありませんか。
　　…いいえ。　毎日　作業の　あとで、ミーティングを　して
　　　いますから。

5．　機械の　操作は　もう　覚えましたか。
　　…はい、だいたい　覚えました。　わからない　ときは、
　　　この　マニュアルを　見て　やって　います。
　　じゃ、きょうから　できるだけ　見ないで　やって　ください。

6．　日曜日　どこか　行きますか。
　　…いいえ。　どこも　行かないで、うちで　ゆっくり　休みます。

会 話

モーターを 組み立てる

小 川： きょうは モーターを 組み立てる 実習です。

ア リ： はい。

小 川： わたしが やった あとで、アリさんに 組み立てて もらいますから、よく 見て いて ください。

ア リ： はい。

小 川： まず ここに この 部品を 取り付けて、次に パッキングを はめて、それから ボルトで しっかり 締めます。

じゃ、ここまで わたしが やった とおりに、組み立てて ください。

ア リ： はい。

あ、いけない。 まちがえた。

小 川： 慌てないで、ゆっくり やって ください。

ア リ： すみません・・・ これで いいですか。

小 川： ええ。 うまく いきましたね。

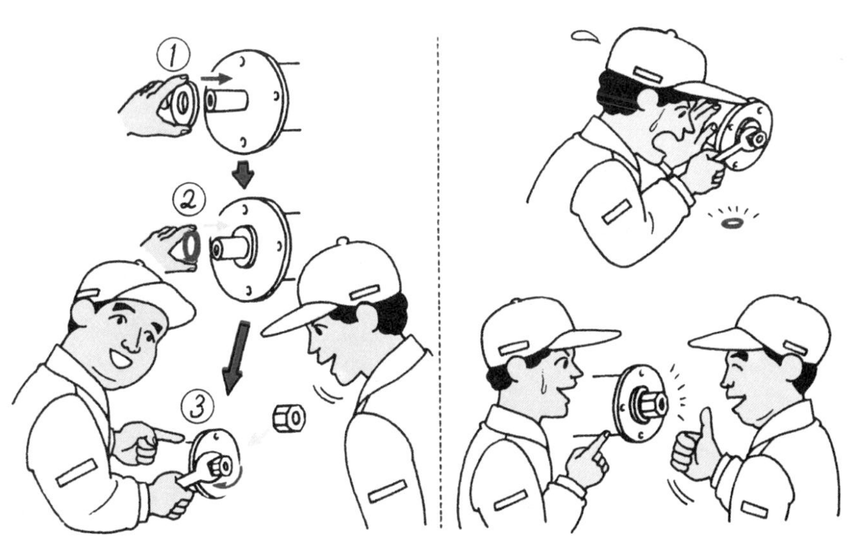

練習(れんしゅう) A

1\.

今(いま) わたしが さっき わたしが	やった いった	とおりに、機械(きかい)を 操作(そうさ)して ください。
この この	ばんごうの マニュアルの	

2\.

昼(ひる)ごはんを 作業(さぎょう)が	たべた おわった	あとで、	バレーボールを します。 ミーティングを します。
	しごとの しょくじの		映画(えいが)を 見(み)に 行(い)きます。 よく 寮(りょう)の 友達(ともだち)と 話(はな)します。

3\.

朝(あさ)ごはんを マニュアルを	たべて みて	会社(かいしゃ)へ 行(い)きます。 機械(きかい)を 操作(そうさ)します。
朝(あさ)ごはんを マニュアルを	たべないで みないで	会社(かいしゃ)へ 行(い)きます。 機械(きかい)を 操作(そうさ)します。

4\.

どこも 寮(りょう)へ バスに	いか かえら のら	ないで、	ゆっくり 休(やす)みます。 友達(ともだち)の うちに 泊(と)まります。 歩(ある)いて 行(い)きます。

練習　B

1.　例：　わたしが　やりました、　エンジンを　分解します

　　　……今　わたしが　やった　とおりに、エンジンを　分解して　ください。

　1）　わたしが　言いました、　機械を　操作します　……

　2）　わたしが　説明しました、　プログラムを　作ります　……

　3）　わたしが　教えました、　モーターを　組み立てます　……

　4）　ビデオで　見ました、　部品を　取り付けます　……

2.　例：　番号、　ボタンを　押します

　　　……この　番号の　とおりに、ボタンを　押して　ください。

　1）　図、　箱を　組み立てます　……

　2）　線、　紙を　切ります　……

　3）　マニュアル、　コンピューターを　操作します　……

　4）　サンプル、　部品を　作ります　……

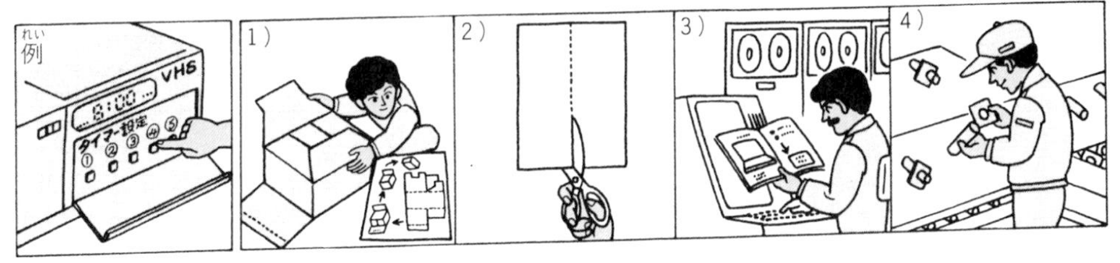

3.　例1：　ミーティングが　終わります、　寮へ　帰ります

　　　……ミーティングが　終わった　あとで、寮へ　帰ります。

　例2：　仕事です、　会社の　人と　食事に　行きます

　　　……仕事の　あとで、会社の　人と　食事に　行きます。

　1）　おふろに　入ります、　晩ごはんを　食べます　……

　2）　晩ごはんを　食べました、　テレビを　見ました　……

　3）　講義です、　1時間　休憩します　……

　4）　作業です、　道具を　片づけて　おいて　ください　……

4.　例：　すぐ　食事しますか。（シャワーを　浴びます）
　　　　……いいえ、シャワーを　浴びた　あとで、食事します。
　1）　すぐ　病院へ　行きますか。（昼ごはんを　食べます）　……
　2）　すぐ　寮へ　帰りますか。（この　本を　コピーします）　……
　3）　すぐ　作業を　始めますか。（朝の　ミーティングです）　……
　4）　すぐ　本社へ　行きますか。（会議です）　……

5.　例：　朝ごはんを　食べて　会社へ　行きます
　　　　……朝ごはんを　食べないで　会社へ　行きます。
　1）　バスに　乗って　駅へ　行きます　……
　2）　傘を　持って　出かけます　……
　3）　マニュアルを　見て　コンピューターを　操作します　……
　4）　はさみを　使って　切ります　……

6.　例：　あしたは　休みません、　働きます
　　　　……あしたは　休まないで、働きます。
　1）　あしたは　出かけません、　ゆっくり　休みます　……
　2）　今晩は　寮へ　帰りません、　友達の　うちに　泊まります　……
　3）　日曜日は　どこも　行きません、　寮で　テレビを　見ます　……
　4）　ゆうべは　寝ませんでした、　レポートを　書きました　……

練習(れんしゅう)　C

1.　A：　エンジンを　組(く)み立(た)てました。　これで　いいですか。
　　B：　ああ、ここが　少(すこ)し　違(ちが)いますよ。
　　　　さっき　わたしが　組(く)み立(た)てた　とおりに、やって　ください。
　　A：　はい、わかりました。

　　1）　モーターを　分解(ぶんかい)します
　　2）　部品(ぶひん)を　取(と)り付(つ)けます

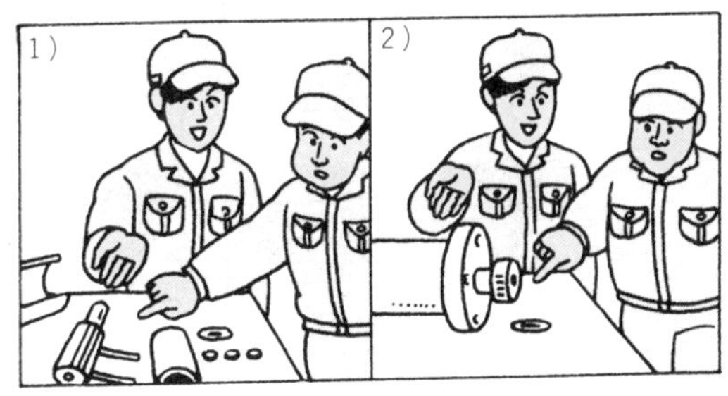

2.　A：　すみません。　機械(きかい)が　動(うご)かないんですが・・・
　　B：　じゃ、わたしが　見(み)て　いますから、もう　一度(いちど)　マニュアルの　とおりに、
　　　　やって　ください。
　　A：　はい、わかりました。

　　1）　番号(ばんごう)
　　2）　図(ず)

3.　A：　①実習が　終わった　あとで、いつも　何を　して　いますか。
　　B：　②寮へ　帰って、勉強したり、③レポートを　まとめたり　して　います。
　　A：　そうですか。　大変ですね。

1）　①　寮へ　帰ります
　　②　レポートを　書きます　　　③　ことばを　調べます

2）　①　晩ごはんを　食べます
　　②　日本語を　勉強します　　　③　専門の　本を　読みます

4.　A：　機械の　操作は　もう　覚えましたか。
　　B：　はい、覚えました。
　　A：　じゃ、きょうは　この　図を　見ないで　操作して　ください。
　　B：　はい、わかりました。

1）　説明書を　読みます
2）　マニュアルを　見ます

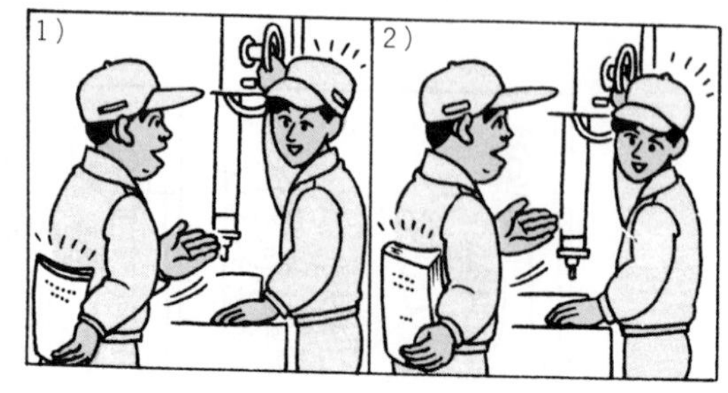

問題(もんだい)　（請配合本書錄音帶教材８Ａ進行練習）

1.　1）＿＿＿＿＿＿＿＿＿＿＿＿＿＿＿＿＿＿＿＿

　　2）＿＿＿＿＿＿＿＿＿＿＿＿＿＿＿＿＿＿＿＿

　　3）＿＿＿＿＿＿＿＿＿＿＿＿＿＿＿＿＿＿＿＿

　　4）＿＿＿＿＿＿＿＿＿＿＿＿＿＿＿＿＿＿＿＿

　　5）＿＿＿＿＿＿＿＿＿＿＿＿＿＿＿＿＿＿＿＿

2.

1）さっき ｛a．講義(こうぎ)で　聞(き)いた／b．ビデオで　見(み)た／c．わたしが　やった｝ とおりに、モーターを

（　　　　　）　ください。

2）この ｛a．図(ず)／b．表(ひょう)／c．サンプル｝の　とおりに、機械(きかい)を　（　　　　　）

ください。

3）晩(ばん)ごはんを　（　　　　　）　あとで、テレビを　見(み)たり、

｛a．習(なら)った　ことばを　調(しら)べたり／b．専門(せんもん)の　本(ほん)を　読(よ)んだり／c．日本語(にほんご)を　勉強(べんきょう)したり｝　して　います。

4）（　　　　　）の　あとで、いつも

｛a．講義(こうぎ)を　聞(き)きます。／b．ミーティングが　あります。／c．会社(かいしゃ)の　人(ひと)と　飲(の)みに　行(い)きます。｝

5）きょうは　（　　　　　）を ｛a．見(み)ながら／b．見(み)て／c．見(み)ないで｝ エンジンを

分解(ぶんかい)して　ください。

3.

例1：　今　わたしが　やりました、　部品を　組み立てます

　　　……今　わたしが　やった　とおりに、部品を　組み立てて　ください。

例2：　この　番号、　ボタンを　押します

　　　……この　番号の　とおりに、ボタンを　押して　ください。

1）　今　わたしが　取り付けました、　部品を　取り付けます

　　……

2）　今　わたしが　締めました、　ボルトを　しっかり　締めます

　　……

3）　この　マニュアル、　コンピューターを　操作します

　　……

4）　この　サンプル、　部品を　作ります

　　……

4.　例：　昼ごはんを　食べて（まえに，（から），あとで）、バレーボールを　します。

1）　きのう　仕事が　終わった　（まえに，から，あとで）、食事に　行きました。

2）　ラジオを　（聞き，聞いて，聞く）ながら　勉強します。

3）　パーティーの　（まえに，終わりに，あとで）、飲み物を　準備して　おいて　ください。

4）　大阪へ　（行く，行った，行かなかった）　とき、大阪城で　この　写真を　撮りました。

5.　例：　あした　会社を　休みますか。（働きます）
　　　……いいえ、休まないで、働きます。
　1）　ゆうべ　よく　寝ましたか。（一生懸命　勉強しました）
　　　……
　2）　今晩　出かけますか。（うちで　テレビを　見ます）
　　　……
　3）　今度の　日曜日　どこか　行きますか。（ゆっくり　休みます）
　　　……
　4）　デパートで　何か　買いましたか。（うちへ　帰りました）
　　　……

6.　例：　ごはんを　（食べて，（食べないで），食べないと）　来ました。
　　　それで　おなかが　すきました。
　1）　きょうは　雨が　降ると　言って　いましたから、
　　　傘を　（持って，持たないで，持たなくて）　出かけます。
　2）　バスに　（乗って，乗らないで，乗らなくて）、歩いて　行きました。
　3）　けがは　もう　治りましたから、病院へ　（行って，行かなくて，
　　　行かないと）も　いいです。
　4）　漢字が　（わかると，わからないと，わからないで）、日本の　新聞が
　　　読めません。

7.　34課の　会話を　読んで、質問に　答えて　ください。
　1）　きょうは　何の　実習ですか。

　　　______________________________
　2）　アリさんは　何も　見ないで　すぐ　モーターを　組み立てましたか。

　　　______________________________
　3）　アリさんは　まちがえないで　モーターが　組み立てられましたか。

　　　______________________________
　4）　モーターを　組み立てる　順序（1，2，3）を　書いて　ください。
　　　（　　）　ボルトで　しっかり　締める。
　　　（　　）　部品を　取り付ける。
　　　（　　）　パッキングを　はめる。

第 35 課

つきます［リモコンが～］ Ⅰ （つく、ついて） 付きます（付く、付いて）		附有［遙控］，帶有
うれます［ほんが～］ Ⅱ （うれる、うれて） 売れます［本が～］（売れる、売れて）		［書］暢銷
よやくします Ⅲ （～する、～して） 予約します		預約，預定
はいたつします Ⅲ （～する、～して） 配達します		投遞，送
むり［な］	無理［な］	勉強［的］，不可能［的］
でんち	電池	電池
フラッシュ		閃光燈
つまみ		轉扭，把手
ふた		蓋子
パソコン		個人電腦
カタログ		商品目錄
しゅるい	種類	種類
タイプ		類型
リモコン		遙控
タイマー		計時器

～いじょう	～以上	～以上
～いか	～以下	～以下

＊　＊　＊　＊　＊

［いろいろ］　ございます。　　有［各式各樣］。

やすく　なりませんか。　　能便宜一點嗎？
　安く　なりませんか。

いや　　不。
(男性常用於否定)

【はいたつ】を　おねがいできますか。　　能給【送去】嗎？
　【配達】を　お願いできますか。

かしこまりました。　　可以。知道了。
(店員向顧客表示知道了)

☞8　みぢかな　せいひんと　きのう　p. 341

第35課

文型

1. この　説明書を　読めば、使い方が　わかります。
2. 値段が　安ければ、買います。
3. カメラなら、新宿が　安いです。

例文

1. フラッシュが　つかないんですが・・・
   …ここを　押せば、つきますよ。

2. きょうの　講義に　ついて　何か　質問が　ありますか。
   …いいえ、ありません。
   なければ、これで　終わります。

3. ここから　富士山が　見えますか。
   …ええ、天気が　よければ、見えます。

4. ビデオカメラが　使えますか。
   …はい、操作が　簡単なら、使えます。

5. ワープロを　買いたいんですが、どこの　メーカーが　いいですか。
   …そうですね。　ワープロなら、東京電気が　いいと　思います。
   種類も　多いし、値段も　安いですから。

会　話

ビデオを　買う

店　員：　いらっしゃいませ。
ラ　オ：　ビデオが　欲しいんですが・・・
店　員：　こちらに　いろいろ　ございます。

ラ　オ：　これと　それと、値段が　違いますね。
　　　　　どう　違うんですか。
店　員：　こちらは　リモコンで　番組が　予約できます。
ラ　オ：　リモコンで　予約できれば、便利ですね。
店　員：　ええ。　今　この　タイプが　いちばん　よく　売れて
　　　　　います。
ラ　オ：　これ、もっと　安く　なりませんか。
店　員：　いや、これ以上は　無理ですね。
ラ　オ：　そうですか。　じゃ、これを　ください。
　　　　　すみませんが、配達を　お願いできますか。
店　員：　はい、かしこまりました。

練習(れんしゅう) A

1.

	ます形(けい)			条件形(じょうけんけい)	
I	い	き	ます	い	け	ば
	いそ	ぎ	ます	いそ	げ	ば
	たの	み	ます	たの	め	ば
	よ	び	ます	よ	べ	ば
	あ	り	ます	あ	れ	ば
	か	い	ます	か	え	ば
	ま	ち	ます	ま	て	ば
	はな	し	ます	はな	せ	ば

	ます形(けい)		条件形(じょうけんけい)	
II	しらべ	ます	しらべ	れ	ば
	かえ	ます	かえ	れ	ば
	み	ます	み	れ	ば
	い	ます	い	れ	ば

	ます形(けい)		条件形(じょうけんけい)	
III	き	ます	くれ	ば
	し	ます	すれ	ば

2.

説明書(せつめいしょ)を	よめば、	操作(そうさ)の　し方(かた)が　わかります。
店(みせ)の　人(ひと)に	きけば、	
マニュアルを	みれば、	

3.

電池(でんち)が	なければ、	動(うご)きません。
カタログを	みなければ、	値段(ねだん)が　わかりません。
使(つか)い方(かた)が	わからなければ、	説明書(せつめいしょ)を　読(よ)んで　ください。

4.

値段(ねだん)が	やすければ、	買(か)います。
使(つか)い方(かた)が	やさしければ、	
音(おと)が	よければ、	

5.

操作(そうさ)が	かんたん	なら、買(か)います。
音(おと)が	しずか	
東京電気(とうきょうでんき)の	ワープロ	

35課

練習　B

1. 例：　この　ボタンを　押します、　テレビが　つきます
　　……この　ボタンを　押せば、テレビが　つきます。

　1）　タイマーが　あります、　便利です　……
　2）　電池を　換えます、　この　時計は　まだ　使えます　……
　3）　この　説明書を　読みます、　使い方が　わかります　……
　4）　この　つまみを　回します、　音が　調節できます　……

2. 例：　リモコンが　ありません、　不便です
　　……リモコンが　なければ、不便です。

　1）　修理しません、　この　ラジカセは　使えません　……
　2）　フラッシュが　ありません、　ここでは　写真が　撮れません　……
　3）　使い方が　わかりません、　説明書を　読んで　ください　……
　4）　あした　配達できません、　あさって　配達して　ください　……

3. 例1：　ふたが　開きません。（ここを　押します、　開きます）
　　……ここを　押せば、開きますよ。
　例2：　洗濯機が　動きません。（このボタンを　押しません、　動きません）
　　……この　ボタンを　押さなければ、動きませんよ。

　1）　お釣りが　出ません。
　　（この　ボタンを　押します、　出ます）　……
　2）　ガスが　つきません。
　　（この　つまみを　回しません、　つきません）　……
　3）　カメラが　壊れて　しまいました。
　　（買った　店へ　持って　行きます、　直して　くれます）　……
　4）　10時までに　本社へ　行かなければ　なりません。
　　（8時に　寮を　出ません、　間に合いません）　……

4.　例：　テレビの　音が　小さいです。（この　ボタンで　調節できます）

　　　　……音が　小さければ、この　ボタンで　調節できます。

　1）　洗濯機の　調子が　おかしいです。（すぐ　修理して　もらいます）

　　　　……

　2）　この　カタログが　欲しいです。（あげます）　……

　3）　部屋が　暗いです。（電気を　つけて　ください）　……

　4）　土曜日は　都合が　悪いです。（日曜日　行きましょう）　……

5.　例：　安い　ビデオを　買いたいです。

　　　　（安い　ビデオです、　秋葉原が　いいです）

　　　　……安い　ビデオなら、秋葉原が　いいです。

　1）　この　洗濯機は　音が　静かです。

　　　　（音が　静かです、　買いたいです）　……

　2）　ワープロが　故障です。

　　　　（故障です、　修理して　もらいます）　……

　3）　この　ビデオカメラは　操作が　簡単です。

　　　　（操作が　簡単です、　買いたいです）　……

　4）　コンピューターの　本を　買いたいです。

　　　　（コンピューターの　本です、　駅の　前の　本屋で　売って　います）……

6.　例：　毎晩　テレビを　見ますか。（時間が　あります）

　　　　……ええ、時間が　あれば、見ます。

　1）　ビデオを　買いますか。（安いです）　……

　2）　この　時計は　まだ　使えますか。（電池を　換えます）　……

　3）　来週の　パーティーに　行きますか。（暇です）　……

　4）　説明書が　読めますか。（英語です）　……

練習　C

1.　A：　すみません。　①ビデオが　つかないんですが・・・

　　B：　②この　ボタンを　押せば、①つきますよ。

　　A：　わかりました。

　　1）　①　音が　大きく　なります　　　②　ここを　押します

　　2）　①　色が　調節できます　　　　　②　この　つまみを　回します

2.　A：　洗濯機が　動かないんですが、ちょっと　見て　くださいませんか。

　　B：　ああ、この　ボタンを　押さなければ、動きませんよ。

　　A：　あ、そうですか。　どうも　すみません。

　　1）　この　つまみを　回します

　　2）　ふたを　閉めます

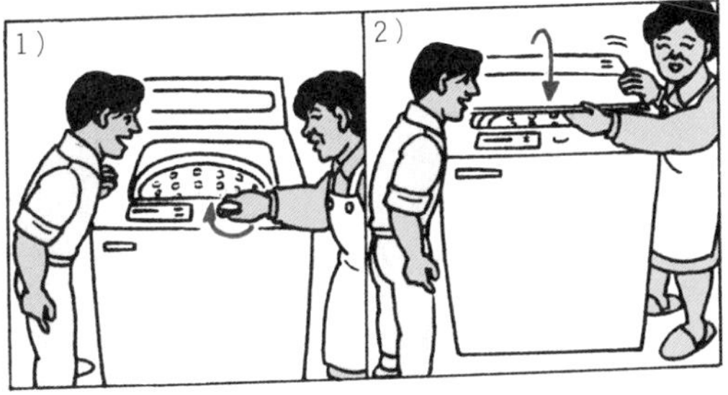

3.　A：　この　①ビデオは　いかがですか。
　　B：　そうですね。　②リモコンが　付いて　いれば、買いますが・・・
　　A：　ええ、②付いて　いますよ。
　　B：　じゃ、これを　ください。

1）　①　洗濯機　　　②　音が　静かです
2）　①　カメラ　　　②　操作が　簡単です

4.　A：　①ワープロを　買いたいんですが、どこの　メーカーが　いいですか。
　　B：　そうですね。　①ワープロなら、②東京電気が　いいと　思います。
　　種類も　多いし、値段も　安いですから。

1）　①　カメラ　　　②　ミリオン
2）　①　パソコン　　②　ＮＴＣ

問題（もんだい） （請配合本書錄音帶教材８A進行練習）

1\. 1）＿＿＿＿＿＿＿＿＿＿＿＿＿＿＿＿＿＿＿＿＿＿＿＿

2）＿＿＿＿＿＿＿＿＿＿＿＿＿＿＿＿＿＿＿＿＿＿＿＿

3）＿＿＿＿＿＿＿＿＿＿＿＿＿＿＿＿＿＿＿＿＿＿＿＿

4）＿＿＿＿＿＿＿＿＿＿＿＿＿＿＿＿＿＿＿＿＿＿＿＿

5）＿＿＿＿＿＿＿＿＿＿＿＿＿＿＿＿＿＿＿＿＿＿＿＿

2\.

1）この　ボタンを　（　　　　　）、
- a．音（おと）が　小（ちい）さく　なります。
- b．音（おと）が　大（おお）きく　なります。
- c．色（いろ）が　調節（ちょうせつ）できます。

2）（　　　　　）を
- a．閉（し）めなければ、
- b．開（あ）けなければ、
- c．回（まわ）さなければ、

洗濯機（せんたくき）が　動（うご）きません。

3）この　ビデオは　新（あたら）しい　タイプで、よく　（　　　　　）。

値段（ねだん）が
- a．高（たか）かったですから、
- b．安（やす）かったですから、
- c．30,000円以下（えんいか）でしたから、

買（か）いました。

4）（　　　　　）なら、ＮＴＣのが　いいです。

操作（そうさ）も　簡単（かんたん）だし、
- a．値段（ねだん）も　安（やす）いです。
- b．種類（しゅるい）も　多（おお）いです。
- c．リモコンも　付（つ）いて　います。

5）
- a．今晩（こんばん）
- b．あした
- c．あさって

までに　しなければ　ならない　仕事（しごと）が

ありますが、時間（じかん）が　（　　　　　）、パーティーに　行（い）きます。

3．

例：行きます	行けば	行かなければ	使います		
急ぎます			話します		
待ちます			食べます		
呼びます			見ます		
飲みます			できます		
あります			します		
わかります			(日本へ)来ます		

例：安いです	安ければ
小さいです	
欲しいです	
いいです	

例：静かです	静かなら
暇です	
簡単です	
雨です	

4．例：　テレビが　つかないんですが・・・
　　……この　ボタンを　（ 押せば ）、つきますよ。

1）　ラジオの　音が　調節できないんですが・・・
　　……この　つまみを　（　　　　）、調節できますよ。

2）　時計が　動かないんですが・・・
　　……電池を　（　　　　）、動きますよ。

3）　ビデオカメラの　使い方が　わからないんですが・・・
　　……この　説明書を　（　　　　）、わかりますよ。

4）　この　テレビには　リモコンが　付いて　います。
　　……リモコンが　（　　　　）、便利ですね。

5．例：　お金が　（ なければ ）、何も　買えません。

1）　この　掃除機は　（　　　　）、使えません。

2）　機械の　使い方が　（　　　　）、この　マニュアルを　見て　ください。

3）　洗濯機の　ふたを　（　　　　）、動きませんよ。

4）　すぐ　バスが　（　　　　）、タクシーで　行きます。

6．　例１：　値段が　（安ければ）、品物が　よく　売れます。
　　例２：　（いい　天気なら）、東京から　富士山が　見えます。

1）　エンジンの　調子が　おかしいんですが・・・
……調子が　（　　　　　　）、小川さんに　見て　もらいましょう。

2）　新幹線から　富士山が　見えますか。
……ええ、天気が　（　　　　　　）、見えますよ。

3）　この　ビデオは　操作が　簡単です。
……操作が　（　　　　　　）、これを　買いたいです。

4）　あしたまでに　配達できますか。
……あしたまでには　無理ですが、（　　　　　　）　配達できます。

7．　例：　車なら、名古屋自動車の　車が　いいです。
エンジンも　いいし、いろいろな　タイプの　車が　あります　から。

1）　電気製品なら、________________。
________________から。

2）　わたしの　国の　お土産なら、________________。
________________から。

8．　例：　一生懸命　勉強すれば、日本語が　上手に　なります。
……一生懸命　勉強した　ら、日本語が　上手に　なります。

1）　赤い　ボタンを　押せば、機械が　止まります。
……赤い　ボタンを　________と、機械が　止まります。

2）　急がなければ、会議の　時間に　遅れます。
……________と、会議の　時間に　遅れます。

3）　値段が　安ければ、買います。
……値段が　________ら、買います。

4）　土曜日なら、都合が　いいです。
……土曜日________ら、都合が　いいです。

復習　G

1．

例：　書く	書ける	書こう	書け	書けば
泳ぐ				
読む				
呼ぶ				
取る				
買う				
持つ				
話す				
食べる				
する				
来る				

2．　例：　パスポートは　引き出しに　（しまいます　…　しまって　）　あります。

1）　結婚しても、仕事を　（続けます　…　　　　　）　つもりです。

2）　飛行機は　夕方　6時に　空港に　（着きます　…　　　　　）　予定です。

3）　レポートは　まだ　（まとめます　…　　　　　）　いません。
今晩　（まとめます　…　　　　　）と　思って　います。

4）　熱が　ありますから、病院へ　（行きます　…　　　　　）　ほうが　いいです。

5）　かぜですから、おふろに　（入ります　…　　　　　）ない　ほうが　いいです。

6）　エンジンの　音が　おかしいです。　（故障です　…　　　　　）かも　しれません。

7）　「整理整頓」は　きちんと　（片づけます　…　　　　　）と　いう　意味です。

8）　「立入禁止」は　ここに　（入ります　…　　　　　）など　いう　意味です。

9）　課長は　すぐ　ファックスを　（送って　ください　…　　　　　）と　言って　いました。

10）　今　わたしが　（やりました　…　　　　　）　とおりに、エンジンを　組み立てて　ください。

11）　晩ごはんを　（食べます　…　　　　　）　あとで、テレビを　見ました。

12）　日曜日は　どこも　（行きます　…　　　　　）ないで、うちで　ゆっくり　休みます。

13) この　ボタンを　（押します　…　　　　）ば、テレビが　つきます。
14) 音が　（小さいです　…　　　　）ば、この　つまみで　調節できます。
15) 操作が　（簡単です　…　　　　）なら、この　ビデオを　買いたいです。

3. 例：　きのうの　試験は　難しかったですが、きょうの　試験は

{ a. たくさん / b. あまり / ⓒ. ずいぶん } 易しかったです。

1) 今度の　日曜日は　うちで　{ a. だんだん / b. ゆっくり / c. はっきり } 休もうと　思って

います。

2) 今週は　{ a. もっと / b. ずっと / c. やっと } いい　天気ですから、あしたも

{ a. きっと / b. きちんと / c. ぜひ } 晴れるでしょう。

3) 工場に　入る　ときは、{ a. 必ず / b. たぶん / c. なかなか } ヘルメットを　かぶって

ください。

4) これから　部品の　取り付け方を　説明します。

まず　ここに　部品を　取り付けて、{ a. 始めに / b. 次に / c. 終わりに } パッキングを

はめて、{ a. それで / b. それから / c. それに } ボルトで　{ a. はっきり / b. しっかり / c. もうすぐ } 締めます。

5) { a. 一生懸命 / b. まっすぐ / c. うまく } 勉強すれば、日本語が　上手に　なります。

G

第 36 課

なれます［せいかつに～］ Ⅱ （なれる、なれて）		［生活］習慣了
慣れます［生活に～］（慣れる、慣れて）		
おちます［にもつが～］ Ⅱ （おちる、おちて）		［行李］掉下來
落ちます［荷物が～］（落ちる、落ちて）		
かけます［カバーを～］ Ⅱ （かける、かけて）		套上［套子］
掛けます（掛ける、掛けて）		
はっぴょうします Ⅲ （～する、～して）		發表
発表します		
おおきな～	大きな～	大的
ちいさな～	小さな～	小的
せいかつ	生活	生活
ないよう	内容	内容
かんそう	感想	感想
はなし	話	話，故事
ひづけ	日付	日期
こと		事情，事實
～の　こと		～的事
パイプ		管子
カバー		套子

ぜんぶ	全部	全部
なんでも	何でも	無論什麼，什麼都
かなり		很，頗
ほとんど		幾乎
くわしく	詳しく	詳細地
かんたんに	簡単に	簡單地
ぜったいに	絶対に	絕對(用於否定句)
たとえば	例えば	例如
～とか		～啦 (常用於舉例說明)
ところで		可是 (用於轉變話題的時候)

＊　＊　＊　＊　＊

おかげさまで		托福，多虧 (感謝對方的幫助)
そうそう		對了對了 (想起什麼的時候)

第(だい) 36 課(か)

文(ぶん) 型(けい)

1. 日本語(にほんご)が 上手(じょうず)に なるように、一生懸命(いっしょうけんめい) 勉強(べんきょう)します。
2. 日本語(にほんご)が 話(はな)せるように なりました。
3. 時間(じかん)に 遅(おく)れないように して ください。

例(れい) 文(ぶん)

1. みんなが よく わかるように、大(おお)きな 声(こえ)で 発表(はっぴょう)して ください。
…はい、わかりました。

2. 忘(わす)れないように、メモを 取(と)って ください。
…はい、わかりました。

3. 日本(にほん)の 食(た)べ物(もの)には もう 慣(な)れましたか。
…はい、初(はじ)めは あまり 食(た)べられませんでしたが、
今(いま)は 何(なん)でも 食(た)べられるように なりました。

4. 漢字(かんじ)が 書(か)けるように なりましたか。
…いいえ、まだ 書(か)けません。 早(はや)く 書(か)けるように なりたいです。

5. 遅(おそ)かったですね。
…すみません。 バスが なかなか 来(こ)なかったんです。
遅(おく)れる ときは、必(かなら)ず 連絡(れんらく)するように して ください。

6. この ボタンを 押(お)すと、機械(きかい)が 全部(ぜんぶ) 止(と)まります。
絶対(ぜったい)に 触(さわ)らないように して ください。
…わかりました。 気(き)を つけます。

会話

レポートの　書き方

加藤：　コンピューターの　操作に　ずいぶん　慣れましたね。
ラオ：　ええ、おかげさまで　簡単な　プログラムが　作れるように
　　　　なりました。
加藤：　よかったですね。
　　　　ところで、レポートの　ことですが・・・
ラオ：　はい。
加藤：　実習の　内容は　詳しく　書いて　あるんですが、
　　　　感想が　書いて　ありませんね。
ラオ：　すみません。　どんな　ことを　書いたら　いいですか。
加藤：　例えば　ここが　よかったとか、難しかったとか・・・
ラオ：　わかりました。
加藤：　あ、そうそう、日付も　忘れないように　して　ください。
ラオ：　すみません。　これから　気を　つけます。

練習 A

1\.

新聞が	よめる	ように、	漢字を　勉強します。
よく	わかる		図で　説明します。
かぜを	ひかない		セーターを　着ます。
家族が	しんぱいしない		手紙を　書きます。

2\.

漢字が　かなり	かける	ように　なりました。
日本語で　電話が	かけられる	
コンピューターの　操作が	できる	

3\.

必ず　時間を	まもる	ように　して　ください。
毎週　金曜日に　レポートを	だす	
この　スイッチに　絶対に	さわらない	
機械の　操作を	まちがえない	

36課

練習 B

1. 例：よく　わかります、ゆっくり　話して　ください
　　……よく　わかるように、ゆっくり　話して　ください。
　1）はっきり　見えます、大きな　字で　書いて　ください　……
　2）よく　聞こえます、大きな　声で　話して　ください　……
　3）日本語が　上手に　なります、一生懸命　勉強して　います　……
　4）ワープロが　速く　打てます、毎日　練習して　います　……

2. 例：忘れません、手帳に　書いて　おきます
　　……忘れないように、手帳に　書いて　おきます。
　1）遅れません、早く　行きましょう　……
　2）汚れません、パソコンに　カバーを　掛けて　おきます　……
　3）荷物が　落ちません、きちんと　載せて　ください　……
　4）道を　まちがえません、地図を　持って　行きます　……

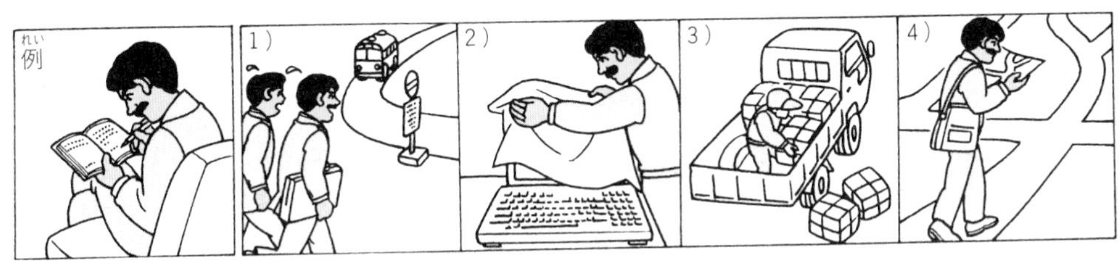

3. 例：日本料理が　食べられます（何でも）
　　……日本料理が　何でも　食べられるように　なりました。
　1）かたかなが　書けます（ほとんど）　……
　2）日本人の　話が　わかります（少し）　……
　3）日本語が　話せます（かなり）　……
　4）簡単な　プログラムが　作れます（やっと）　……

4．　例：　コンピューターの　操作が　できるように　なりましたか。
　　　　……いいえ、まだ　できません。　早く　できるように　なりたいです。
　1）　専門の　講義が　わかるように　なりましたか。　……
　2）　ワープロが　打てるように　なりましたか。　……
　3）　プログラムが　作れるように　なりましたか。　……
　4）　エンジンが　組み立てられるように　なりましたか。　……

5．　例：　仕事の　やり方を　早く　覚えます
　　　　……仕事の　やり方を　早く　覚えるように　して　ください。
　1）　時間を　守ります　……
　2）　会社を　休む　ときは、必ず　電話で　連絡します　……
　3）　レポートには　必ず　感想を　書きます　……
　4）　レポートは　毎週　金曜日に　出します　……

6．　例：　やけどを　します、　これに　触りません
　　　　……やけどを　しますから、これに　触らないように　して　ください。
　1）　けがを　します、　機械の　下に　手を　入れません　……
　2）　けがを　します、　ここから　頭を　出しません　……
　3）　危険です、　物を　落としません　……
　4）　危険です、　荷物を　たくさん　載せません　……

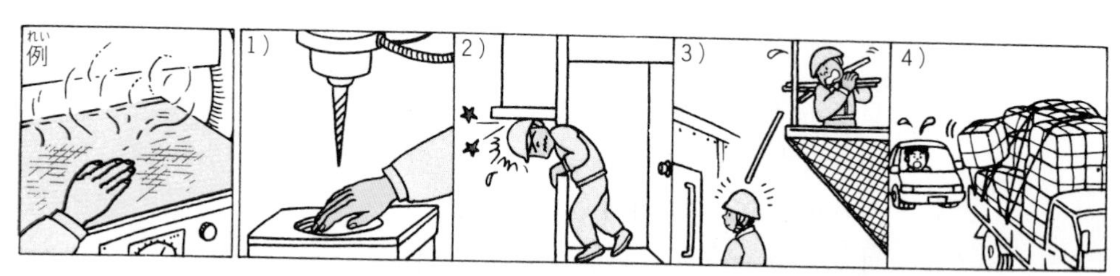

練習　C

1.　A：　発表の　ときは、よく　①聞こえるように、
　　　　②大きな　声で　話して　ください。
　　B：　はい、わかりました。

1)　①　見えます　　　②　大きな　字で　書きます
2)　①　わかります　　②　簡単に　説明します

2.　A：　日本の　生活には　もう　慣れましたか。
　　B：　ええ、やっと　慣れました。
　　A：　①日本の　食べ物は　もう　大丈夫ですか。
　　B：　はい、初めは　全然　②食べられませんでしたが、
　　　　今は　少し　②食べられるように　なりました。

1)　①　日本語　　②　話せます
2)　①　漢字　　　②　読めます

3．　A：　コンピューターの　操作（そうさ）が　できるように　なりましたか。

　　B：　いいえ、まだ　できません。

　　　　早（はや）く　できるように　なりたいです。

　　A：　そうですか。　頑張（がんば）って　ください。

1）　プログラムが　作（つく）れます

2）　ワープロが　打（う）てます

4．　A：　あ、危（あぶ）ない。

　　　　①機械（きかい）の　下（した）に　手（て）を　入（い）れると、②けがを　しますよ。

　　B：　はい。

　　A：　絶対（ぜったい）に　①手（て）を　入（い）れないように　して　ください。

　　B：　わかりました。　気（き）を　つけます。

1）　①　これに　触（さわ）ります　　　②　やけどを　します

2）　①　パイプを　落（お）とします　　②　下（した）の　人（ひと）が　けがを　します

問　題（請配合本書錄音帶教材８Ａ進行練習）

1\.
1）＿＿＿＿＿＿＿＿＿＿＿＿＿＿＿＿
2）＿＿＿＿＿＿＿＿＿＿＿＿＿＿＿＿
3）＿＿＿＿＿＿＿＿＿＿＿＿＿＿＿＿
4）＿＿＿＿＿＿＿＿＿＿＿＿＿＿＿＿
5）＿＿＿＿＿＿＿＿＿＿＿＿＿＿＿＿

2\.

1）よく　（　　　　　）ように、｛a．詳しく　b．簡単に　c．大きな　声で｝
質問して　ください。

2）ナロンさんは　漢字が｛a．全然　書けません。　b．少し　書けます。　c．かなり　書けます。｝
もっと　漢字が　（　　　　　）ように、毎日　勉強して　います。

3）ナロンさんは　日本の　生活に　だいたい　（　　　　　）。
今は｛a．まだ　日本料理が　全然　食べられません。　b．まだ　刺身が　食べられません。　c．すしや　刺身が　食べられるように　なりました。｝

4）レポートは｛a．毎週　金曜日までに　b．毎日　5時までに　c．実習の　あとで、いつも｝
（　　　　　）ように　して　ください。

5）その｛a．パイプ　b．タイプ　c．コップ｝に　触ると、やけどを　しますから、
絶対に　（　　　　　）ように　して　ください。

3．　例1：　よく　（　わかる　）ように、もう　少し　ゆっくり　話して　ください。
　　例2：　かぜを　（ひかない）ように、たくさん　服を　着ます。

1）　テレビが　はっきり　（　　　　　）ように、カーテンを　閉めて　ください。

2）　日本語が　もっと　上手に　（　　　　　）ように、一生懸命　勉強します。

3）　（　　　　　）ように、メモを　取って　ください。

4）　電話番号を　（　　　　　）ように、かける　まえに、よく　確かめます。

4．　例：　漢字が　読めますか。（少し）
　　……はい、少し　読めるように　なりました。

1）　日本語が　話せますか。（かなり）
……

2）　かたかなが　書けますか。（ほとんど）
……

3）　日本料理が　食べられますか。（何でも）
……

4）　日本人の　考え方が　わかりますか。（ずいぶん）
……

5．　例1：　会社を　休む　ときは、必ず　電話で　（連絡する）ように　して　ください。
　　例2：　レポートには　名前を　（忘れない）ように　して　ください。

1）　早く　帰る　ときは、必ず　会社の　人の　許可を　（　　　　　）ように　して　ください。

2）　レポートには　必ず　実習の　内容と　感想を　（　　　　　）ように　して　ください。

3）　ミーティングの　時間に　（　　　　　）ように　して　ください。

4）　けがを　しますから、機械の　下に　手を　（　　　　　）ように　して　ください。

6．　例：　会社に　（間に合わない，（遅れない），急がない）ように、早く　起きます。

1）　写真が　きれいに　（撮る，撮れる，撮れない）ように、フラッシュを　使います。

2）　日本語で　電話が　（書く，かける，かけられる）ように　なりました。

3） 部屋を 出る ときは、（きっと，必ず，ほとんど） 電気を
消すように して ください。

4） 危ないですから、（絶対に，必ず，ぜひ） ここに 入らないように
して ください。

7.

新幹線は 1964年に できました。 東京と 大阪の 間は それまで 8時間以上 かかりましたが、今は 2時間半ぐらいで 行けるように なりました。

新幹線には “のぞみ”や “ひかり”や “こだま”が あります。 “のぞみ”と “ひかり”は 大きな 駅にしか 止まりませんから、早く 着きます。 新幹線の 中には 食べ物や 飲み物を 売って いる 所が あります。 それから 電話も かけられます。

新幹線は 安全を 考えて、作って あります。 例えば 窓の ガラスが 割れないように、11.6mm（ミリ）の ガラスを 使って います。 強い 風や 雪の ときは、コンピューターで 止まったり、動いたり します。

2000年ごろには 新幹線より もっと 速い リニヤエクスプレスが できる 予定です。 この リニヤエクスプレスが できれば、日本の いろいろな 所へ もっと 速く 行けるように なります。

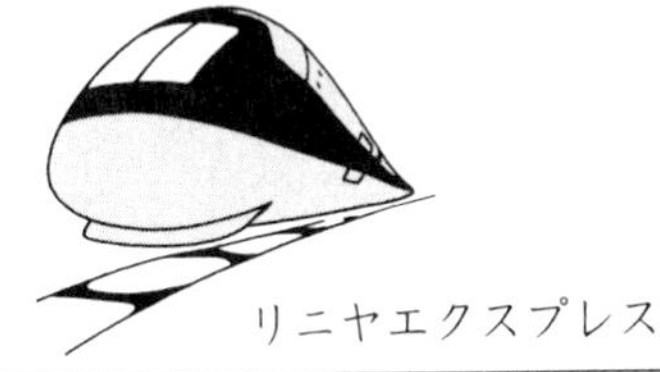

リニヤエクスプレス

＊ “のぞみ”、“ひかり”、“こだま”： 新幹線の 名前

1） 東京から 大阪まで 何時間で 行けるように なりましたか。

____

2） 新幹線の 中で 食べ物や 飲み物が 買えますか。

____

3） どうして 11.6mmの ガラスを 使って いるんですか。

____

4） リニヤエクスプレスが できれば、どう なりますか。

____

第 37 課

ほめます Ⅱ (ほめる、ほめて) 褒めます (褒める、褒めて)		讚揚
しかります Ⅰ (しかる、しかって)		斥責
とります Ⅰ (とる、とって)		偷盜
こわします Ⅰ (こわす、こわして) 壊します (壊す、壊して)		毀壞，破壞
わけます Ⅱ (わける、わけて) 分けます (分ける、分けて)		分開
せいさんします Ⅲ (～する、～して) 生産します		生產
ようせつします Ⅲ (～する、～して) 溶接します		焊接
けんさします Ⅲ (～する、～して) 検査します		檢查
かんせいします Ⅲ (～する、～して) 完成します		完成
ゆしゅつします Ⅲ (～する、～して) 輸出します		出口
ゆにゅうします Ⅲ (～する、～して) 輸入します		進口
どろぼう	泥棒	小偷
けいかん	警官	警官
だれか		誰，有人

こめ	米	米
むぎ	麦	麥
げんりょう	原料	原料
ざいりょう	材料	材料
せきゆ	石油	石油
タンカー		油輪
くみたて	組み立て	組裝，裝配
ライン		生產線
こうはん	鋼板	鋼板
ボディー		車體
タイヤ		輪胎
とうなん	東南	東南
アジア		亞洲
ヨーロッパ		歐洲
ーパーセント		百分之～
やく～	約～	約～
～など		～等(用於“～や～など”那樣舉例說明的時候)

☞9　くるまの　せいさんライン　p. 342

第37課

文型

1.　わたしは　課長に　しかられました。
2.　わたしは　弟に　カメラを　壊されました。
3.　この　ビルは　去年　建てられました。

例文

1.　どこに　いたんですか。
…課長に　呼ばれて、事務所に　いました。
　レポートに　ついて　いろいろ　聞かれました。

2.　きのう　泥棒に　お金を　とられました。
…いくら　とられたんですか。
50,000円ぐらいです。

3.　お酒と　ビールは　どう　違うんですか。
…原料が　違います。
　お酒は　米から、ビールは　麦から　造られます。

4.　ここは　組み立てラインです。
ここでは　車の　ボディーが　溶接されます。
…全部　ロボットが　やって　いるんですね。

5.　この　工場の　製品は　どのくらい　輸出されて　いますか。
…50パーセントぐらい　輸出されて　います。

会　話

生産ラインの　見学

ナロン：　この　工場は　いつ　建てられたんですか。
石　川：　1965年です。　今　7,000人の　人が　働いて　います。
ナロン：　そうですか。　ほんとうに　大きい　工場ですね。
石　川：　ええ。　じゃ、生産ラインを　案内しましょう。
ナロン：　はい。

石　川：　ここでは　エンジンが　取り付けられます。
　　　　　それから　あそこでは　窓ガラスや　タイヤが
　　　　　取り付けられます。
ナロン：　ずいぶん　速く　できますね。
　　　　　１日に　何台ぐらい　生産されて　いますか。
石　川：　約1,500台です。　3分に　１台　完成します。
ナロン：　そうですか。　すごいですね。

練習　A

1.

		受身
Ⅰ	ききます	きかれます
	よみます	よまれます
	はこびます	はこばれます
	とります	とられます
	つかいます	つかわれます
	こわします	こわされます

		受身
Ⅱ	たべます	たべられます
	ほめます	ほめられます
	みます	みられます

		受身
Ⅲ	きます	こられます
	します	されます

2. わたしは　部長に
　　よばれました。
　　ほめられました。
　　しつもんされました。

3. わたしは　どろぼう／こども／いもうと　に　おかね／とけい／しょるい　を　とられました。／こわされました。／すてられました。

わたしは	どろぼう	に	おかね	を	とられました。
	こども		とけい		こわされました。
	いもうと		しょるい		すてられました。

4.

あの　ビルは	30年まえに	たてられました。
	先月	うられました。
	来月	こわされます。

5.

ここで	ボディー	が	ようせつされます。
	エンジン		とりつけられます。
	くるま		けんさされます。

6.

この　ほん	は　いろいろな　国で	よまれて
にほんの　コンピューター		つかわれて
ATMの　くるま		せいさんされて

います。

練習　B

1.　例：　課長は　わたしを　しかりました
　　　　……わたしは　課長に　しかられました。
　　1)　部長は　わたしを　褒めました　……
　　2)　加藤さんは　わたしを　呼びました　……
　　3)　加藤さんは　わたしに　いろいろ　質問しました　……
　　4)　課長は　わたしに　レポートに　ついて　聞きました　……

2.　例：　子どもは　時計を　壊しました
　　　　……子どもに　時計を　壊されました。
　　1)　友達は　手紙を　読みました　……
　　2)　友達は　傘を　まちがえました　……
　　3)　泥棒は　かばんを　とりました　……
　　4)　母は　大切な　書類を　捨てました　……

3.　例：　いつ　かばんを　とられましたか。（けさ）
　　　　……けさ　とられました。
　　1)　電車の　中で　何を　とられましたか。（財布）　……
　　2)　だれに　この　仕事を　頼まれましたか。（高橋さん）　……
　　3)　課長に　何を　聞かれましたか。（実習の　感想）　……
　　4)　医者に　何と　言われましたか。（たばこを　やめろ）　……

4.　例：　2年まえに　あの　ビルを　建てました

　　……あの　ビルは　2年まえに　建てられました。

1）　米から　お酒を　造ります　……

2）　タンカーで　石油を　運びます　……

3）　箱に　製品を　入れます　……

4）　機械で　製品を　分けます　……

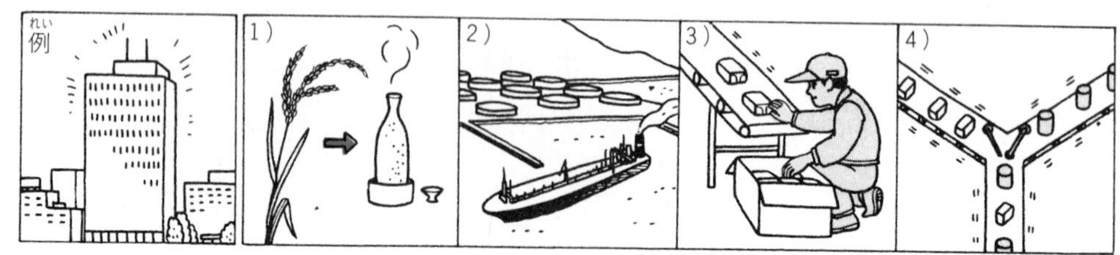

5.　例：　鋼板を　切ります

　　……ここで　鋼板が　切られます。

1）　ボディーを　溶接します　……

2）　ボディーを　組み立てます　……

3）　エンジンを　取り付けます　……

4）　完成した　車を　検査します　……

6.　例：　いろいろな　所で　コンピューターを　使って　います

　　……コンピューターは　いろいろな　所で　使われて　います。

1）　いろいろな　国で　英語を　話して　います　……

2）　日本で　この　本を　よく　読んで　います　……

3）　アメリカや　ヨーロッパへ　日本の　車を　輸出して　います　……

4）　東南アジアから　原料を　輸入して　います　……

練習　C

1.　A：　どこに　いたんですか。

　　B：　課長に　呼ばれて、事務所に　いました。

　　　　レポートに　ついて　いろいろ　聞かれました。

　　1）　褒めます

　　2）　質問します

37課

2.　A：　どう　したんですか。

　　B：　だれかに　かばんを　まちがえられたんです。

　　A：　ほんとうですか。　大変ですね。

　　1）　傘を　持って　行きます

　　2）　大切な　書類を　捨てます

3．　A：　ここは　組み立てラインです。
　　　　ここでは　ボディーが　溶接されます。
　　B：　全部　ロボットが　やって　いるんですね。

　　1）　ボディーを　組み立てます
　　2）　いろいろな　部品を　取り付けます

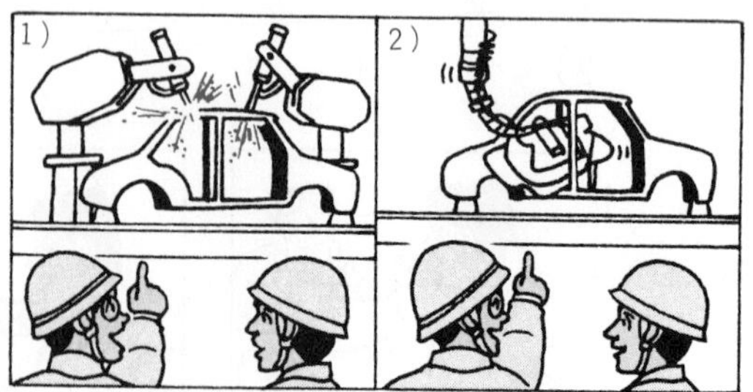

4．　A：　この　工場では　1日に　何台ぐらい　①自動車が　生産されて
　　　　いますか。
　　B：　②約1,500台です。
　　A：　製品は　どこへ　輸出されて　いますか。
　　B：　アメリカや　ヨーロッパや　東南アジアなどです。

　　1）　①　カメラを　作ります　　②　約1,200
　　2）　①　テレビを　生産します　②　約800

問　題　（請配合本書錄音帶教材 8 A 進行練習）

1.
1）＿＿＿＿＿＿＿＿＿＿＿＿＿＿＿＿＿＿＿＿
2）＿＿＿＿＿＿＿＿＿＿＿＿＿＿＿＿＿＿＿＿
3）＿＿＿＿＿＿＿＿＿＿＿＿＿＿＿＿＿＿＿＿
4）＿＿＿＿＿＿＿＿＿＿＿＿＿＿＿＿＿＿＿＿
5）＿＿＿＿＿＿＿＿＿＿＿＿＿＿＿＿＿＿＿＿

2.
1）ラオさんは　（　　　　　　）に　呼ばれて、事務所へ　行きました。
そして
- a．レポートの　内容に　ついて　質問されました。
- b．実習の　感想を　聞かれました。
- c．レポートの　内容が　悪いと　言われました。

2）だれかに　（　　　　　　）を
- a．とられました。
- b．まちがえられました。
- c．持って　行かれました。

3）この　工場は　（　　　　　　）に　建てられました。
今は　約
- a．7,000人
- b．5,300人
- c．3,500人

働いて　います。

4）ここでは　ボディーが　（　　　　　　）。
全部
- a．人
- b．ロボット
- c．コンピューター

が　やって　います。

5）この　工場では　1日に　約（　　　　　　）台　テレビが
- a．輸出されて
- b．使われて
- c．作られて

います。

3.

例：聞きます	聞かれます	褒めます	
壊します		入れます	
呼びます		分けます	
読みます		建てます	
しかります		します	
使います		（日本へ）来ます	

4. 例：友達は　カメラを　なくしました

……友達に　カメラを　なくされました。

1）課長は　仕事を　頼みました　……

2）泥棒は　かばんを　とりました　……

3）弟は　カメラを　壊しました　……

4）妹は　大切な　書類を　捨てました　……

5.

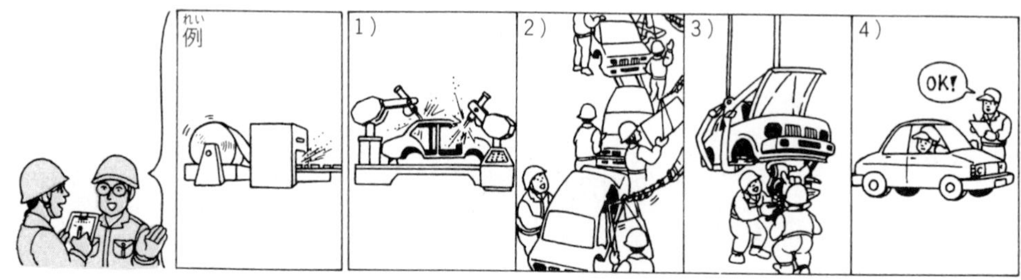

絵を　見て、車の　生産ラインを　説明して　ください。

例：ここで　鋼板が　切られます。

1）ここで ＿＿＿＿＿＿＿＿

2）ここで ＿＿＿＿＿＿＿＿

3）ここで ＿＿＿＿＿＿＿＿

4）ここで ＿＿＿＿＿＿＿＿

6. 例：わたしは　部長（　に　）　褒められました。

1）子どもの　とき、よく　先生（　　　）　しかられました。

2）電車の　中で　泥棒（　　　）　財布（　　　）　とられて　しまいました。

3）お酒は　米（　　　）　造られます。

4）日本の　車（　　　）　いろいろな　国（　　　）　輸出されて　います。

7.

日本は 外国から 原料や 材料を 輸入して、その 原料や 材料から 製品を 作って、外国へ 輸出して います。

図①を 見れば、日本が 原料や 材料を 輸入して いる 国が よく わかります。 原料や 材料は 遠い 外国から 船で 日本へ 運ばれます。

次に、日本が 外国へ 輸出して いる 製品は 図②を 見れば、よく わかります。 日本で 作られた 製品は 船で 外国へ 運ばれて、売られます。 日本の 製品は 今 いろいろな 所で 使われて います。

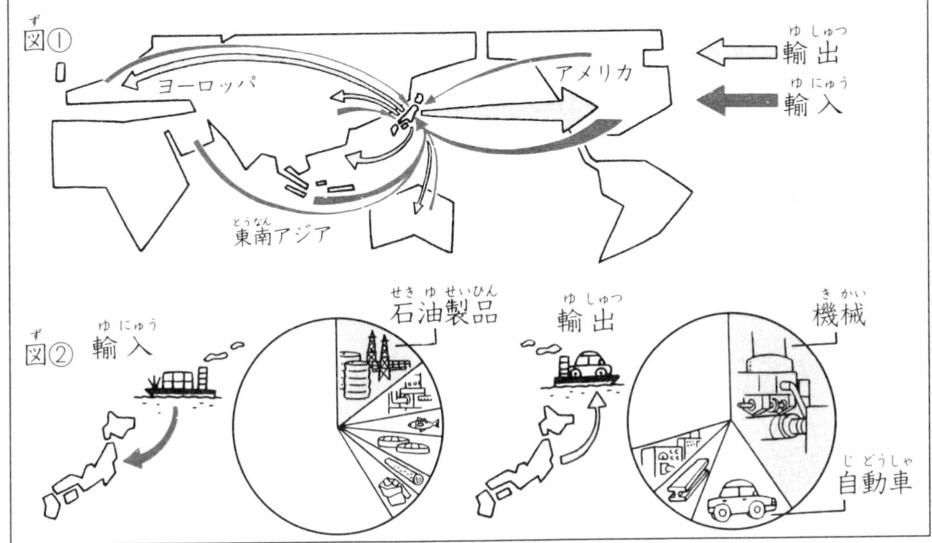

例1： 原料や 製品は 船で 運ばれます。 （ ○ ）

例2： 原料や 製品は 飛行機で 運ばれます。 （ × ）

1） 原料や 材料は アメリカや 東南アジアなどから 輸入されて います。 （　　）

2） 日本が いちばん たくさん 輸入して いる 物は 米や 麦です。 （　　）

3） 日本が いちばん たくさん 輸出して いる 物は 自動車です。 （　　）

4） 日本で 作られた 製品は アメリカへ たくさん 輸出されて います。 （　　）

第 38 課

かよいます［かいしゃに～］ Ⅰ （かよう、かよって） 通います［会社に～］（通う、通って）		［去公司］上班
ざんぎょうします Ⅲ （～する、～して） 残業します		加班
うんどうします Ⅲ （～する、～して） 運動します		運動
こたえます［しつもんに～］ Ⅱ （こたえる、こたえて） 答えます［質問に～］（答える、答えて）		回答［質問］
けいさんします Ⅲ （～する、～して） 計算します		計算
あつめます Ⅱ （あつめる、あつめて） 集めます（集める、集めて）		集中，收集
わたします Ⅰ （わたす、わたして） 渡します（渡す、渡して）		遞交
かけます［かぎを～］ Ⅱ （かける、かけて） 掛けます（掛ける、掛けて）		［把鎖］鎖上
うまれます［こどもが～］ Ⅱ （うまれる、うまれて） 生まれます［子どもが～］（生まれる、生まれて）		［孩子］出生
します［おいわいを～］ Ⅲ （する、して） ［お祝いを～］		祝賀，賀禮
だいすき［な］	大好き［な］	特別喜歡［的］
だいきらい［な］	大嫌い［な］	特別討厭［的］
むだ［な］		無效［的］
はずかしい	恥ずかしい	害羞的，可恥的。
きもちが いい	気持ちが いい	心情好
きもちが わるい	気持ちが 悪い	心情不好 （看見或摸到討厭的東西而打冷戰）

38課

やきゅう	野球	棒球
プール		游泳池
ジョギング		慢跑
コンサート		音樂會，演唱會
カラオケ		卡拉OK
おいわい	お祝い	祝賀，賀禮
いき	行き	去
かえり	帰り	回
ラッシュ		非常擁擠

＊　＊　＊　＊　＊

それほどでも　ありません。　　並不那樣好。
（受到表揚時的謙遜語）

【じかん】を　むだに　しませんね。
【時間】を　むだに　しませんね。　　不浪費【時間】。

もう　いっぱい　どうですか。
もう　一杯　どうですか。　　再來一杯怎麼樣？
（勸酒的時候）

もう　けっこうです。　　已經夠了。
（謝絕的時候）

☞ 10　よか　p. 343

第38課

文型

1.　みんなで　食事するのは　楽しいです。
2.　わたしは　本を　読むのが　好きです。
3.　レポートに　名前を　書くのを　忘れました。

例文

1.　加藤さんは　何か　スポーツを　して　いますか。
…ええ。　夜　時々　泳ぎに　行って　います。
　仕事の　あとで　泳ぐのは　気持ちが　いいですよ。

2.　趣味は　何ですか。
…映画を　見る　ことです。
そうですか。　わたしも　映画を　見るのが　好きです。

3.　池田さんは　ワープロを　打つのが　速いですね。
…いいえ、それほどでも　ありません。

4.　あ、いけない。
…どう　したんですか。
ヒーターを　消すのを　忘れました。

5.　木村さんが　結婚したのを　知って　いますか。
…いいえ、知りませんでした。　いつですか。
先週の　日曜日です。

会　話

会社の　帰りに

リ　ー：　中村さんは　よく　この　店へ　来るんですか。

中　村：　ええ。　会社の　帰りに　よく　来ます。
　　　　　今ごろ　電車に　乗ると、ラッシュが　すごいですからね。

リ　ー：　うちまで　どのくらい　かかりますか。

中　村：　電車で　2時間ぐらいです。

リ　ー：　じゃ、毎日　通うのは　大変ですね。

中　村：　ええ。　でも、本を　読んだり、テープを　聞いたり
　　　　　して　います。

リ　ー：　日本人は　時間を　むだに　しませんね。

中　村：　でも、寝て　いる　人も　多いですよ。

リ　ー：　そうですね。

中　村：　リーさん、もう　一杯　どうですか。

リ　ー：　いいえ、わたしは　もう　けっこうです。

練習（れんしゅう） A

1. 日本語（にほんご）を　はなす　のは　難（むずか）しいです。
   たばこを　すう　　体（からだ）に　悪（わる）いです。
   朝（あさ）　早（はや）く　さんぽする　　気持（きも）ちが　いいです。

2. わたしは　絵（え）を　かく　のが　好（す）きです。
   本（ほん）を　よむ
   一人（ひとり）で　旅行（りょこう）を　する

3. 池田（いけだ）さんは　はなす　のが　速（はや）いです。
   あるく
   けいさんする

4. ヒーターを　けす　のを　忘（わす）れました。
   レポートを　だす
   カメラを　もって　くる

5. あした　会議（かいぎ）が　ある　のを　知（し）って　いますか。
   マリオさんが　国（くに）へ　かえった
   木村（きむら）さんが　けっこんした

練習(れんしゅう) B

1\. 例(れい)： 家族(かぞく)と 食事(しょくじ)します、 楽(たの)しいです

　　……家族(かぞく)と 食事(しょくじ)するのは 楽(たの)しいです。

1) 日本語(にほんご)で 質問(しつもん)に 答(こた)えます、 難(むずか)しいです ……
2) たばこを 吸(す)います、 体(からだ)に 悪(わる)いです ……
3) みんなの 前(まえ)で 話(はな)します、 恥(は)ずかしいです ……
4) 毎日(まいにち) 残業(ざんぎょう)します、 大変(たいへん)です ……
5) 朝(あさ) 早(はや)く 散歩(さんぽ)します、 気持(きも)ちが いいです ……

2\. 例(れい)： わたしは 切手(きって)を 集(あつ)めます、 好(す)きです

　　……わたしは 切手(きって)を 集(あつ)めるのが 好(す)きです。

1) わたしは 野球(やきゅう)を 見(み)ます、 大好(だいす)きです ……
2) わたしは ラッシュの 電車(でんしゃ)に 乗(の)ります、 嫌(きら)いです ……
3) ナロンさんは 写真(しゃしん)を 撮(と)ります、 上手(じょうず)です ……
4) 高橋(たかはし)さんは 仕事(しごと)を します、 速(はや)いです ……
5) わたしは ワープロを 打(う)ちます、 遅(おそ)いです ……

3\. 例(れい)1： 専門(せんもん)の ことばを 覚(おぼ)えます、 難(むずか)しいです

　　……専門(せんもん)の ことばを 覚(おぼ)えるのは 難(むずか)しいですか。

例(れい)2： 中村(なかむら)さんは カラオケで 歌(うた)います、 好(す)きです

　　……中村(なかむら)さんは カラオケで 歌(うた)うのが 好(す)きですか。

1) 毎日(まいにち) 電車(でんしゃ)で 通(かよ)います、 大変(たいへん)です ……
2) たばこを やめます、 難(むずか)しいです ……
3) 課長(かちょう)は 毎日(まいにち) うちへ 帰(かえ)ります、 遅(おそ)いです ……
4) 高橋(たかはし)さんは ワープロを 打(う)ちます、 速(はや)いです ……
5) リーさんは 料理(りょうり)を 作(つく)ります、 上手(じょうず)です ……

4.　例：　レポートに　名前を　書きます

……レポートに　名前を　書くのを　忘れました。

1）　電気を　消します　……

2）　かぎを　掛けます　……

3）　傘を　持って　来ます　……

4）　窓を　閉めます　……

5）　加藤さんに　書類を　渡します　……

5.　例：　来週　本社で　会議が　あります

……来週　本社で　会議が　あるのを　知って　いますか。

1）　あした　部長が　工場へ　来ます　……

2）　社長が　アメリカへ　出張します　……

3）　高橋さんが　課長に　なりました　……

4）　木村さんが　結婚しました　……

5）　石川さんに　男の　子が　生まれました　……

練習 C

1. A： 加藤さんは 何か スポーツを して いますか。

   B： ええ。 仕事の あとで、よく ①プールへ 行って います。
   ②泳ぐのは 体に いいし、気持ちも いいですから。

   1） ① スポーツセンターへ 行きます　　② 運動します

   2） ① ジョギングを します　　② 走ります

2. A： 趣味は 何ですか。

   B： ①音楽を 聞く ことです。

   A： そうですか。 わたしも ①音楽を 聞くのが 好きです。

   B： じゃ、今度の 土曜日 いっしょに ②コンサートに 行きませんか。

   A： ええ、いいですね。

   1） ① 映画を 見ます　　② 映画

   2） ① 歌を 歌います　　② カラオケ

3．　A：　あ、いけない。
　　B：　どう　したんですか。
　　A：　ヒーターを　消(け)すのを　忘(わす)れました。
　　　　すみませんが、ちょっと　待(ま)って　いて　ください。

　　1）　かぎを　掛(か)けます
　　2）　財布(さいふ)を　持(も)って　来(き)ます

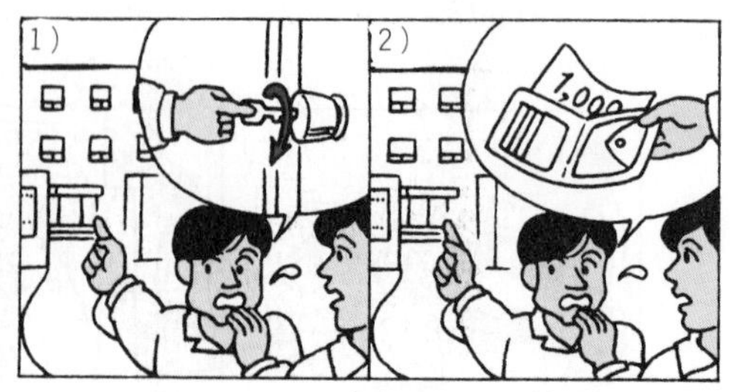

4．　A：　①木村(きむら)さんが　結婚(けっこん)したのを　知(し)って　いますか。
　　B：　いいえ、知(し)りませんでした。　いつですか。
　　A：　②先週(せんしゅう)の　日曜日(にちようび)です。
　　B：　じゃ、お祝(いわ)いを　しましょう。

　　1）　①　石川(いしかわ)さんに　男(おとこ)の　子(こ)が　生(う)まれました　　②　おととい
　　2）　①　高橋(たかはし)さんが　課長(かちょう)に　なりました　　②　先月(せんげつ)

問(もん)題(だい)（請配合本書錄音帶教材 8 A進行練習）

1\. 1）＿＿＿＿＿＿＿＿＿＿

2）＿＿＿＿＿＿＿＿＿＿

3）＿＿＿＿＿＿＿＿＿＿

4）＿＿＿＿＿＿＿＿＿＿

5）＿＿＿＿＿＿＿＿＿＿

2\.

1）中村(なかむら)さんは　よく ｛a．野球(やきゅう)を　して　います。／b．ジョギングを　して　います。／c．プールで　泳(およ)いで　います。｝

（　　　　　）のは　体(からだ)に　いいし、気持(きも)ちも　いいですから。

2）2人(ふたり)の　趣味(しゅみ)は　（　　　　　）　ことです。

2人(ふたり)は　切手(きって)を ｛a．はります。／b．買(か)います。／c．換(か)えます。｝

3）池田(いけだ)さんは ｛a．ワープロを　打(う)つ／b．タイプを　打(う)つ／c．計算(けいさん)する｝のが　とても

（　　　　　）です。

4）｛a．ガス／b．かぎ／c．ヒーター｝を　（　　　　　）のを　忘(わす)れて　しまいました。

5）ナロンさんは　石川(いしかわ)さんに ｛a．おととい　男(おとこ)の　子(こ)／b．おととい　女(おんな)の　子(こ)／c．きのう　女(おんな)の　子(こ)｝が

（　　　　　）のを　知(し)りませんでした。

3．　例1：　漢字を　読みます、　難しいです
　　　　　……漢字を　読むのは　難しいです。
　　例2：　わたしは　切手を　集めます、　好きです
　　　　　……わたしは　切手を　集めるのが　好きです。
　　1）　ことばを　覚えます、　難しいです
　　　　……
　　2）　朝　早く　散歩します、　気持ちが　いいです
　　　　……
　　3）　わたしの　子どもは　テレビを　見ます、　大好きです
　　　　……
　　4）　リーさんは　絵を　書きます、　とても　上手です
　　　　……

4．　例：　あ、いけない。　ヒーターを　（　消す　）のを　忘れました。
　　1）　レポートに　名前を　（　　　　）のを　忘れて　しまいました。
　　2）　先週　木村さんが　（　　　　）のを　知って　いますか。
　　3）　あした　本社で　会議が　（　　　　）のを　知って　いますか。
　　4）　加藤さんが　先月　課長に　（　　　　）のを　知りませんでした。

5．　例：　日本語で　質問に　答えるのは＿＿＿＿　難しいです。
　　1）　＿＿＿＿＿＿＿＿＿＿＿＿　気持ちが　いいです。
　　2）　＿＿＿＿＿＿＿＿＿＿＿＿　好きです。
　　3）　＿＿＿＿＿＿＿＿＿＿＿＿　忘れました。
　　4）　＿＿＿＿＿＿＿＿＿＿＿＿　知って　いますか。

6．　例：　日本人は　話す（(の)，こと）が　速いです。
　　1）　わたしは　ひらがなを　書く（の，こと）が　できます。
　　2）　わたしの　趣味は　映画を　見る（の，こと）です。
　　3）　手紙に　住所を　書く（の，こと）を　忘れて　しまいました。
　　4）　わたしは　新幹線に　乗った（の，こと）が　ありません。

7.

加藤さんの 家族は 4人です。 加藤さんは 2年まえに うちを 買って、千葉に 住んで います。
毎日 電車で 東京の 会社に 通って います。 会社まで 2時間ぐらい かかりますから、朝 早く 起きなければ なりません。 電車は 行きも 帰りも いつも 込んで います。 ラッシュの 電車に 乗るのは ほんとうに 大変です。
会社は 5時までです。 仕事の あとで、1週間に 1回 会社の 近くの スポーツセンターへ 行って います。 泳ぐのは 体に いいし、気持ちも いいですから。 仕事が 忙しい ときは、残業しなければ なりません。 残業の ときは、簡単な 食事を して、10時ごろまで 働きます。 夜 遅くまで 仕事を するのは 体に 悪いと 奥さんに よく 言われます。
残業が ない ときは、会社の 人と 飲みに 行きます。 加藤さんは カラオケで 歌うのが 好きです。 仕事を したり、飲みに 行ったり して、加藤さんは いつも うちへ 帰るのが 遅いです。

1） 加藤さんは いつも 何で 会社に 通って いますか。

____

2） 電車は すいて いますか。

____

3） 加藤さんは 仕事が 終わってから、いつも すぐ うちへ 帰りますか。

____

4） 残業する ときは、晩ごはんを 食べないで 仕事を しますか。

____

第 39 課

おもいだします Ⅰ （おもいだす、おもいだして） 思い出します（思い出す、思い出して）		想起來
あんしんします Ⅲ （～する、～して） 安心します		放心
びっくりします Ⅲ （～する、～して）		吃驚
わらいます Ⅰ （わらう、わらって） 笑います（笑う、笑って）		笑
なきます Ⅰ （なく、ないて） 泣きます（泣く、泣いて）		哭
しにます Ⅰ （しぬ、しんで） 死にます（死ぬ、死んで）		死
やけます ［うちが～］ Ⅱ （やける、やけて） 焼けます（焼ける、焼けて）		［家］著火，燒
たおれます ［きが～］ Ⅱ （たおれる、たおれて） 倒れます ［木が～］（倒れる、倒れて）		［樹］倒
とおります ［くるまが～］ Ⅰ （とおる、とおって） 通ります ［車が～］（通る、通って）		［汽車］通過
ふくざつ［な］	複雑［な］	複雜［的］
うるさい		吵鬧
こわい	怖い	可怕
きぶんが いい	気分が いい	心情好
きぶんが わるい	気分が 悪い	心情不好 (常用於生病時)
ようじ	用事	事，事情
じこ	事故	事故
じしん	地震	地震
かじ	火事	火災
たいふう	台風	颱風
き	木	樹，樹木

こうじ	工事	施工，工程
こうじちゅう	工事中	施工中
けっこんしき	結婚式	結婚儀式
じつは	実は	實際上（說實話的時候）
それじゃ		那麼（聽了對方的話而作出 斷）

很忙嗎？

打斷對方的工作而提出自

的緊要事情）

麻煩您一下。

辦法。

可奈何地表示同意）

不起。

重地道歉）

第 39 課

文　型

1. 手紙を　読んで、安心しました。
2. 用事が　あるので、早く　帰ります。

例　文

1. きのう　九州で　大きな　地震が　あったのを　知って　いますか。
   …ええ。　わたしも　けさ　ニュースを　聞いて、
   　びっくりしました。

2. あした　いっしょに　映画を　見に　行きませんか。
   …あしたは　ちょっと　都合が　悪くて、行けません。

3. パソコンの　使い方は　もう　覚えましたか。
   …いいえ、操作が　複雑で、まだ　覚えられません。

4. 遅く　なって、すみません。
   …どう　したんですか。
   事故で　電車が　遅れたんです。

5. 気分が　悪いので、帰っても　いいですか。
   …いいですよ。　お大事に。

6. この　道は　いつも　込んで　いますが、きょうは　すいて　いますね。
   …ええ。　日曜日なので、車が　少ないんです。

会話

早退の　許可を　もらう

ラ　オ：　加藤さん、今　お忙しいですか。
加　藤：　いいえ。　どうぞ。
ラ　オ：　ちょっと　お願いが　あるんですが・・・
加　藤：　何ですか。
ラ　オ：　実は　来週の　金曜日に　大使館で　パーティーが　あるんです。
加　藤：　そうですか。
ラ　オ：　4時までに　行かなければ　ならないので、午後から　帰っても　いいですか。
加　藤：　大使館の　パーティーですか。　それじゃ　しかたが　ありませんね。
ラ　オ：　申し訳　ありません。　よろしく　お願いします。

練習　A

1.

手紙を	よんで、	安心しました。
ニュースを	きいて、	びっくりしました。
手紙が	こなくて、	寂しいです。
パーティーに	いけなくて、	残念です。

2.

	たかくて、	買えません。
	からくて、	食べられません。
操作が	ふくざつで、	よく　わかりません。

3.

こしょう	で	機械が　止まりました。
びょうき		会社を　休みました。
こうつうじこ		人が　死にました。

4.

友達と　約束が	ある	ので、	先に　帰ります。
バスが　すぐ	こなかった		遅れました。
頭が	いたい		会社を　休みます。
今晩は	ひまな		遊びに　行きます。
あしたは	やすみな		友達と　出かけます。

練習　B

1.　例：　手紙を　読みました、　安心しました

　　……手紙を　読んで、安心しました。

　1）　ニュースを　聞きました、　びっくりしました　……

　2）　写真を　見ました、　家族を　思い出しました　……

　3）　加藤さんの　話を　聞きました、　みんな　笑いました　……

　4）　課長に　褒められました、　うれしかったです　……

2.　例：　恋人に　会えません、　寂しいです

　　……恋人に　会えなくて、寂しいです。

　1）　パーティーに　行けません、　残念です　……

　2）　友達が　いません、　寂しいです　……

　3）　日本語が　わかりません、　困っています　……

　4）　家族から　手紙が　来ませんでした、　心配しました　……

3.　例：　この　本は　難しいです、　よく　わかりません

　　……この　本は　難しくて、よく　わかりません。

　1）　この　荷物は　重いです、　持てません　……

　2）　車の　音が　うるさいです、　よく　寝られません　……

　3）　仕事が　忙しいです、　どこも　行けません　……

　4）　話すのが　速いです、　よく　わかりません　……

4.　例：　新幹線が　止まりました（雪）
　　　　……雪で　新幹線が　止まりました。
　1）　うちが　壊れました（地震）　……
　2）　ホテルが　焼けました（火事）　……
　3）　木が　倒れました（台風）　……
　4）　人が　けがを　しました（交通事故）　……

5.　例：　ちょっと　用事が　あります、先に　帰ります
　　　　……ちょっと　用事が　あるので、先に　帰ります。
　1）　病院へ　行きたいです、早く　帰っても　いいですか　……
　2）　おなかが　痛いです、少し　休んでも　いいですか　……
　3）　バスが　なかなか　来ませんでした、会社に　遅れました　……
　4）　レポートを　書かなければ　なりません、きょうは　すぐ　帰ります
　　　　……

6.　例：　どこも　出かけないんですか。（体の　調子が　悪いです）
　　　　……ええ、体の　調子が　悪いので、出かけません。
　1）　きのう　会社を　休んだんですか。
　　　　（頭が　痛かったです）　……
　2）　この　本を　読まなかったんですか。
　　　　（時間が　ありませんでした）　……
　3）　きのうの　晩　新幹線が　止まったんですか。
　　　　（たくさん　雪が　降りました）　……
　4）　この　道は　車が　通れないんですか。
　　　　（今　工事中です）　……

練習　C

1.　A：　きのう　①九州で　大きな　地震が　あったのを　知って　いますか。
　　B：　ええ。　わたしも　けさ　②ニュースを　聞いて、びっくりしました。
　　　　①地震は　ほんとうに　怖いですね。

1）　①　近くで　火事　　　②　新聞を　読みました
2）　①　会社の　近くで　交通事故　　②　テレビを　見ました

2.　A：　あした　新宿へ　買い物に　行きませんか。
　　B：　あしたですか。　あしたは　ちょっと　都合が　悪くて、行けません。
　　A：　じゃ、土曜日は　どうですか。
　　B：　土曜日なら、いいです。

1）　仕事が　忙しいです
2）　時間が　ありません

3.　A：　遅く　なって、すみません。
　　B：　どう　したんですか。
　　A：　①事故で　②電車が　止まって　しまったんです。
　　B：　それは　大変でしたね。

1）　①　交通事故　　　②　道が　込んで　いました
2）　①　雪　　　　　　②　バスが　なかなか　来ませんでした

4.　A：　ちょっと　お願いが　あるんですが・・・
　　B：　何ですか。
　　A：　実は　来週の　金曜日に　①大使館で　パーティーが　あるので、
　　　　②早く　帰っても　いいですか。
　　B：　わかりました。　いいですよ。

1）　①　友達の　結婚式が　あります
　　 ②　休みます
2）　①　病院へ　行かなければ　なりません
　　 ②　少し　遅れます

問　題（請配合本書錄帶教材8B進行練習）

1.　1）ナロンさんは　けさ　（　　　　　）の　ニュースを

a．ラジオで　聞いて、
b．テレビで　見て、
c．新聞で　読んで、
びっくりしました。

2）リーさんは　今晩

a．用事が　あって、
b．パーティーが　あって、
c．仕事が　忙しくて、
いっしょに

食事に　（　　　　　）。

3）ナロンさんは　（　　　　　）の

a．漢字が　読めなくて、
b．内容が　難しくて、
c．ことばの　意味が　わからなくて、
困って　います。

4）（　　　　　）で

a．新幹線が　故障した
b．新幹線が　止まった
c．飛行機が　出発できなかった
ので、

会議の　時間に　遅れて　しまいました。

5）来週の　金曜日に　（　　　　　）が　あります。

5時までに　ホテルへ

a．いなければ　ならない
b．帰らなければ　ならない
c．行かなければ　ならない
ので、

早く　帰りたいです。

2.　例：手紙を　（もらって）、うれしかったです。

1）ラジオで　地震の　ニュースを　（　　　　　）、びっくりしました。

2）家族の　手紙を　（　　　　　）、安心しました。

3）交通事故を　（　　　　　）、怖く　なりました。

4）日本に　友達が　（　　　　　）、寂しいです。

3．　例：　この　料理は　辛くて、　食べられません。

　1）　この　荷物は　重くて、______

　2）　この　説明書は　漢字が　多くて、______

　3）　工事の　音が　うるさくて、______

　4）　東京の　地下鉄は　複雑で、______

4．

例：病気で　会社を　休みました。

　1）______

　2）______

　3）______

　4）______

5．　例：　おなかが　（痛かったです　…　痛かった　）ので、会社を
休みました。

　1）　熱が　（あります　…　　　）ので、早く　帰っても　いいですか。

　2）　きょうは　（日曜日です　…　　　）ので、病院は　休みです。

　3）　道が　（込んで　いました　…　　　）ので、時間に　遅れて
しまいました。

　4）　きのうは　体の　調子が　（悪かったです　…　　　）ので、
どこも　行きませんでした。

　5）　バスが　すぐ　（来ませんでした　…　　　）ので、タクシーで
来ました。

6．　例：　飛行機事故の　ニュースを　（(聞いて)，聞いてから，聞いたので）、
びっくりしました。

　1）　（かぜで，かぜだ，かぜなので）、会社を　休みました。

　2）　この　スーパーは　値段も　（安いので，安いし，安いから）、品物も
多いし、いつも　ここで　買い物して　います。

　3）　いい　辞書が　（ないで，なくて，なくても）、困って　います。

　4）　大使館の　パーティーに　（行きたいから，行きたいので，行きたくて）、
早く　帰っても　いいですか。

7．次の　文を　読んで、あとの　質問に　答えて　ください。

日本は　車が　多いです。　それで　交通事故も　たいへん　多いです。毎日　たくさんの　人が　死んだり、けがを　したり　して　います。　下の表を　見れば、この　ことが　よく　わかります。

若い　人の　バイクの　事故も　多く　なって　います。　1990年は1年で　約1,500人の　人が　バイクの　事故で　死にました。　下の　図を見て　ください。　車を　運転して　いる　人には、うしろの　バイクがよく　見えないので、事故に　なります。　ですから、車を　運転するときは、前や　うしろを　よく　見て、安全運転を　しなければ　なりません。

	交通事故	死んだ　人	けがを した　人
1989年	552,788	9,261	681,346
1990年	579,190	9,317	712,330
1991年	590,134	9,347	720,495

1）1991年に　交通事故で　けがを　した　人は　何人ですか。
（表を　見て、答えて　ください。）

2）1990年に　バイクの　事故で　死んだ　人は　どのくらい　いますか。

3）どうして　事故に　なりますか。

4）車を　運転する　人は　どんな　ことに　気を　つけなければ　なりませんか。

第 40 課

かぞえます Ⅱ（かぞえる、かぞえて）		數
数えます（数える、数えて）		
たります Ⅱ（たりる、たりて）		足夠
足ります（足りる、足りて）		
のこります Ⅰ（のこる、のこって）		剩下
残ります（残る、残って）		
あいます［サイズが～］ Ⅰ（あう、あって）		［大小］合適
合います（合う、合って）		
さがします Ⅰ（さがす、さがして）		尋找
捜します（捜す、捜して）		
みつけます Ⅱ（みつける、みつけて）		找到，發現
見つけます（見つける、見つけて）		
チェックします Ⅲ（～する、～して）		核對，檢驗
かんけいが　あります［せんもんと～］		［和專業］有關係
関係が　あります［専門と～］		
ただしい	正しい	對，正確
ほんとう		眞的
うそ		謊言
こたえ	答え	解答
きず	傷	瑕疵，傷痕
なかみ	中身	裝在裏面的東西
げんいん	原因	原因
サイズ		尺寸，號碼
おおきさ	大きさ	大小（“大きい”的名詞形）
おもさ	重さ	重量（“重い”的名詞形）
ながさ	長さ	長度（“長い”的名詞形）
たかさ	高さ	高度（“高い”的名詞形）

ーこ	ー個	～個(計算小物品的量詞)
ーほん（ーぽん、ーぼん）	ー本	～根(計算長形物的量詞)
ーはい（ーぱい、ーばい）	ー杯	～杯(計算放進杯子、容器中的東西的量詞)
ーキロ		～公斤，～公里
ーグラム		～克
ーセンチ		～厘米
ーミリ		～毫米
スケジュール		日程表，行程表
きぼう	希望	希望
かんけい	関係	關係
はんばい	販売	銷售
はんばいてん	販売店	銷售店
ニーズ		需要
おきゃく［さん］	お客［さん］	顧客，來客
ぴったり		很合適
さあ		呀(不太清楚時)
しかし		但是

☞ 11　けいさん・せん・かたち　p. 344

第40課

文型

1.　会議は　何時に　終わるか、わかりません。
2.　パーティーに　来られるか　どうか、知らせて　ください。
3.　日本の　お酒を　飲んで　みます。

例文

1.　ナロンさんは　どこへ　行きましたか。
…さあ、どこへ　行ったか、わかりません。
　渡辺さんに　聞いて　ください。

2.　この　箱の　中身は　何ですか。
…さあ、何か、わかりません。　開けて　調べましょう。

3.　重さが　どのくらい　あるか、量って　ください。
…はい、わかりました。　すぐ　量ります。

4.　あしたの　パーティーに　行きますか。
…そうですね。　仕事が　忙しいので、行けるか　どうか、
　わかりません。

5.　ここで　どんな　検査を　するんですか。
…びんに　傷が　ないか　どうか、調べます。

6.　すみません。　この　ズボンを　はいて　みても　いいですか。
…はい。　あちらで　どうぞ。

会　話

実習の　予定に　ついて

高　橋：　これは　実習の　予定表です。
　　　　　これから　どんな　実習を　するか、よく　見て
　　　　　ください。

ナロン：　はい。

高　橋：　スケジュールに　ついて　何か　希望が　あったら、
　　　　　言って　ください。

ナロン：　あのう、9月から　2か月　販売店で　実習するんですか。

高　橋：　そうです。

ナロン：　わたしの　専門と　あまり　関係が　ないと
　　　　　思いますが・・・

高　橋：　いや。　お客さんの　ニーズを　知るのも　大切ですよ。

ナロン：　そうですか。　わかりました。

高　橋：　しかし、2か月は　長いかも　しれませんね。
　　　　　もう　少し　短く　なるか　どうか、部長に　相談して
　　　　　みます。

ナロン：　すみません。　よろしく　お願いします。

練習(れんしゅう)　A

1.

ナロンさんは	どこに	いる	か、	わかりません。
箱(はこ)が	いくつ	ある		数(かぞ)えて　ください。
パーティーは	いつが	いい		考(かんが)えて　ください。
神戸(こうべ)は	どんな	まち		知(し)りません。

2.

リーさんは	くる	か　どうか、	わかりません。
まちがいが	ない		調(しら)べて　ください。
スイッチを	きった		確(たし)かめて　ください。
その　話(はなし)は	ほんとう		わかりません。

3.

部長(ぶちょう)に　意見(いけん)を	きいて	みます。
故障(こしょう)の　原因(げんいん)を	しらべて	
できるか　どうか、	やって	

40課

練習　B

1.　例：　講義は　何時に　終わりますか。
　　　　……さあ、何時に　終わるか、わかりません。

　1）　ナロンさんは　何を　して　いますか。　……
　2）　加藤さんは　いつ　帰りましたか。　……
　3）　リーさんは　どこへ　行きましたか。　……
　4）　あの　人は　だれですか。　……

2.　例：　りんごが　何個　ありますか、数えます
　　　　……りんごが　何個　あるか、数えて　ください。

　1）　長さが　どのくらい　ありますか、測ります　……
　2）　ハンマーが　どこに　ありますか、捜します　……
　3）　どう　したら　いいですか、考えます　……
　4）　どうして　故障しましたか、調べます　……

3.　例：　新幹線に　間に合いますか。（道が　込んで　います）
　　　　……さあ、間に合うか　どうか、わかりません。
　　　　　道が　込んで　いますから。

　1）　アリさんは　元気ですか。（手紙が　来ません）　……
　2）　ビールは　足りますか。（お客さんが　多いです）　……
　3）　ホテルは　予約できますか。（夏休みです）　……
　4）　彼は　パーティーに　来ますか。（忙しいと　言って　いました）
　　　……

4. 例： 元気です、 手紙で 知らせます

……元気か どうか、手紙で 知らせて ください。

1） りんごが 足ります、 数えます ……

2） パーティーに 来られます、 連絡します ……

3） 答えが 正しいです、 もう 一度 確かめます ……

4） 傷が ありません、 検査します ……

5. 例1： みんなに 意見を 聞きます

……みんなに 意見を 聞いて みます。

例2： ぜひ 富士山へ 行きたいです

……ぜひ 富士山へ 行って みたいです。

1） 部長に 相談します ……

2） もう 一度 原因を 調べます ……

3） ぜひ 日本料理を 食べたいです ……

4） ぜひ スキーを したいです ……

6. 例： おいしいです、 ちょっと 食べます

……おいしいか どうか、ちょっと 食べて みて ください。

1） サイズが 合います、 ちょっと 着ます ……

2） まちがいが ありません、 もう 一度 チェックします ……

3） デパートは 休みです、 電話で 聞きます ……

4） 修理できます、 やります ……

練習 C

1\. A： ①箱が いくつ ありますか。

B： さあ、①いくつ あるか、わかりません。

A： じゃ、②数えて ください。

B： わかりました。

1） ① 部品が いくつ 残って いますか　　② 数えます

2） ① 重さが 何キロ ありますか　　② 量ります

2\. A： 赤い ランプが つきました。 どう したら いいですか。

B： 故障ですね。

すぐ 機械を 止めて、どこが おかしいか、調べて ください。

A： わかりました。

1） 何が 原因ですか

2） どうして 故障しましたか

3．　Ａ：　ここでは　どんな　検査を　するんですか。
　　Ｂ：　①傷が　ないか　どうか、チェックします。
　　Ａ：　もし　②傷が　あったら、どう　しますか。
　　Ｂ：　この　箱に　入れます。

1）　①　ごみが　入って　いません　　②　入って　います
2）　①　サイズが　合って　います　　②　合って　いません

Ａ：　すみません。　この　服を　着て　みても　いいですか。
Ｂ：　はい、どうぞ・・・いかがですか。
Ａ：　ぴったりです。　これを　ください。

1）　靴を　はきます
2）　帽子を　かぶります

問題(もんだい)　(請配合本書錄帶教材８Ｂ進行練習)

1.
1) ＿＿＿＿＿＿＿＿＿＿＿＿＿＿＿＿＿＿＿＿＿＿
2) ＿＿＿＿＿＿＿＿＿＿＿＿＿＿＿＿＿＿＿＿＿＿
3) ＿＿＿＿＿＿＿＿＿＿　＿＿＿＿＿＿＿＿＿＿
4) ＿＿＿＿＿＿＿＿＿＿＿＿＿＿＿＿＿＿＿＿＿＿
5) ＿＿＿＿＿＿＿＿＿＿＿＿＿＿＿＿＿＿＿＿＿＿

2.
1) ナロンさんは ｛a. もう　寮(りょう)へ　帰(かえ)りました。／b. まだ　寮(りょう)へ　帰(かえ)って　いません。／c. もう　部屋(へや)で　寝(ね)て　います。｝ きょうは
残業(ざんぎょう)が　あるので、何時(なんじ)ごろ　(　　　　　)か、わかりません。

2) 午後(ごご)の　実習(じっしゅう)は ｛a. いつ／b. だれ／c. 何(なに)｝か、わかりません。
(　　　　　)に　聞(き)いて　みて　ください。

3) 夏休(なつやす)みは ｛a. ホテルが　込(こ)む／b. ホテルが　すく／c. ホテルに　電話(でんわ)する｝ので、
予約(よやく)(　　　　　)か　どうか、わかりません。

4) ここでは　スイッチを　入(い)れて、テレビが　(　　　　　)か　どうか、検査(けんさ)します。
もし　つかなかったら、生産(せいさん)ラインで ｛a. 捨(す)てます。／b. 壊(こわ)します。／c. 直(なお)します。｝

5) ズボンを　(　　　　　)　みましたが、｛a. 小(ちい)さかった／b. 大(おお)きかった／c. 長(なが)かった｝です。

3．　例(れい)：　ナロンさんは　どこに　いますか、　わかりません

……ナロンさんは　どこに　いるか、わかりません。

1）　どうして　機械(きかい)が　故障(こしょう)しましたか、　原因(げんいん)が　わかりません

……

2）　パイプの　長(なが)さが　何(なん)センチ　ありますか、　測(はか)って　ください

……

3）　部品(ぶひん)が　いくつ　残(のこ)って　いますか、　数(かぞ)えて　ください

……

4）　東京(とうきょう)タワーまで　どうやって　行(い)ったら　いいですか、　教(おし)えて　ください

……

4．　例(れい)：　10時(じ)の　新幹線(しんかんせん)に　間(ま)に合(あ)いますか。

……さあ、道(みち)が　込(こ)んで　いるので、間(ま)に合(あ)うか　どうか、わかりません。

1）　東京(とうきょう)タワーから　富士山(ふじさん)が　見(み)えますか。

……さあ、きょうは　__________ので、__________、わかりません。

2）　この　時計(とけい)は　修理(しゅうり)できますか。

……さあ、__________ので、__________、わかりません。

3）　あの　店(みせ)の　料理(りょうり)は　おいしいですか。

……さあ、__________ので、__________、わかりません。

4）　田中(たなか)さんは　お元気(げんき)ですか。

……さあ、__________ので、__________、わかりません。

5．　例(れい)：　ちょっと　この　料理(りょうり)を　食(た)べて　ください

……ちょっと　この　料理(りょうり)を　食(た)べて　みて　ください。

1）　時間(じかん)が　あったら、日本(にほん)の　いろいろな　所(ところ)へ　行(い)きたいです

……

2）　ちょっと　この　服(ふく)を　着(き)ても　いいですか

……

3）　どう　したら　いいか、部長(ぶちょう)に　意見(いけん)を　聞(き)きます

……

4）　どこが　おかしいか、もう　一度(いちど)　よく　調(しら)べて　ください

……

6．　1）　右の　計算には　まちがいが　あります。　→
どこが　違って　いるか、見つけて、直して　ください。

```
  375
× 42
  750
 1488
15550
```

2）　1メートルの　パイプから　8センチの　長さの　部品が
何個　作れるか、答えて　ください。
答え＿＿＿＿＿＿個

3）　同じ　重さの　りんご　5個を　重さ　300グラムの　箱に　入れて
量ったら、1,700グラム　ありました。
りんごの　重さは　1個　何グラムですか。
答え＿＿＿＿＿＿グラム

4）　ラオさんは　1本　150円の　ボールペンを　6本　買おうと　思いました。
でも、100円　足りませんでした。　ラオさんは　いくら　持って
いたか、答えて　ください。
答え＿＿＿＿＿＿円

7．　下の　絵は　新しい　車を　作る　まえに　する　いろいろな　仕事です。
絵の　説明は　どれですか。　下から　選んで　ください。

例（　B　）　（　　）　（　　）　（　　）　（　　）

A：　作った　車が　安全か　どうか、いろいろな　試験を　して、
チェックします。

B：　お客さんは　どんな　車が　いいと　思って　いるか、よく　調べて、
資料を　作ります。

C：　車の　絵を　書いたり、コンピューターを　使ったり　して、車の
デザインを　決めます。

D：　集めた　資料を　見ながら、会議で　どんな　車を　作ったら　いいか、
相談します。

E：　そんな　車が　ほんとうに　作れるか　どうか、作って　みます。

復習 H

1.　例：　部長（ に ）　意見を　聞いて　みます。

　1）　晩ごはん（　　　）　あとで、おふろ（　　　）　入ります。

　2）　薬を　飲んだので、熱（　　　）　下がりました。

　3）　操作の　順序（　　　）　違いますよ。　マニュアル（　　　）　とおりに、やって　ください。

　4）　工場の　中（　　　）　走らないように　して　ください。

　5）　この　ビデオには　リモコン（　　　）　付いて　います。

　6）　やっと　日本の　生活（　　　）　慣れました。

　7）　荷物（　　　）　落ちないように、きちんと　載せて　ください。

　8）　泥棒（　　　）　お金（　　　）　とられて　しまいました。

　9）　お酒（　　　）　米（　　　）　造られます。

　10）　わたしの　子どもは　テレビを　見るの（　　　）　大好きです。

　11）　毎日　電車で　会社（　　　）　通って　います。

　12）　木村さん（　　　）　結婚したの（　　　）　知って　いますか。

　13）　火事（　　　）　うちが　焼けました。

　14）　この　道は　工事中なので、車（　　　）　通れません。

　15）　この　本は　わたしの　専門（　　　）　関係（　　　）　ありません。

2.　例：　友達と　お酒を　（飲みます　…　飲む　）のは　楽しいです。

　1）　コンピューターの　操作が　やっと　（できます　…　　　　）ように　なりました。

　2）　家族が　（心配します　…　　　　）ように、よく　手紙を　書いて　います。

　3）　危険ですから、絶対に　ここから　頭を　（出します　…　　　　）ように　して　ください。

　4）　けさの　ニュースを　（聞きます　…　　　　）、びっくりしました。

　5）　この　問題は　（難しいです　…　　　　）、全然　わかりません。

　6）　ナロンさんは　どこへ　行きましたか。
　　…さあ、どこへ　（行きます　…　　　　）か、わかりません。

　7）　サイズが　（合います　…　　　　）か　どうか、ちょっと　着て　（みます　…　　　　）　ください。

　8）　きのうは　頭が　（痛いです　…　　　　）ので、会社を　休みました。

3．正しい　ものを　選んで　ください。

1）初めまして。ナロンです。
- a．いろいろ　お世話に　なりました。
- b．きょうから　お世話に　なります。
- c．失礼します。

どうぞ　よろしく　お願いします。
…渡辺です。　こちらこそ　どうぞ　よろしく。

2）きょうの　実習は　全部　終わりました。
…じゃ、帰っても　いいですよ。
- a．ごめんください。
- b．ご苦労さまでした。
- c．そろそろ　失礼します。

3）どう　したんですか。
…かぜを　ひいて　しまったんです。
そうですか。
- a．お疲れさまでした。
- b．どうぞ　お元気で。
- c．お大事に。

4）夏休みは　田舎へ　帰る　予定です。　よかったら、いっしょに　行きませんか。
…ありがとう　ございます。
- a．楽しみに　して　います。
- b．申し訳　ありません。
- c．かまいません。

5）ビール、もう　一杯　どうですか。
…いいえ、
- a．どう　いたしまして。
- b．いただきます。
- c．もう　けっこうです。

6）ワープロを　打つのが　速いですね。
…いいえ、
- a．それほどでも　ありません。
- b．しかたが　ありません。
- c．申し訳　ありません。

第 41 課

いただきます Ⅰ (いただく、いただいて) 領受(“もらう”的謙語)
くださいます Ⅰ (くださる、くださって) 給我(“くれる”的尊敬語)
やります Ⅰ (やる、やって) 給(對下屬、晚輩)
しょうたいします Ⅲ (～する、～して) 邀請
招待します
しんせつに します 親切地做
親切に します

ていねい[な]	丁寧[な]	有禮貌［地］
めずらしい	珍しい	稀奇的，罕見的
むすこ	息子	兒子
むすめ	娘	女兒
おこさん	お子さん	令郎，令嬡
【むすこ】さん	【息子】さん	【令郎】
いぬ	犬	狗
ねこ	猫	貓
おもちゃ		玩具
じてんしゃ	自転車	自行車
きもの	着物	衣服，和服
テレホンカード		電話卡

ホームステイ		留學時住在別人家裏
おれい	お礼	謝禮
おどり	踊り	舞蹈
おてら	お寺	寺廟
～か～		～或者～ （連接名詞，表示選擇）

41課

第41課

文型

1. わたしは 田中さんに 辞書を いただきました。
2. わたしは 鈴木先生に 日本語を 教えて いただきました。
3. 奥さんは わたしに 日本料理を 作って くださいました。
4. わたしは 娘に 誕生日の プレゼントを 送って やりました。

例文

1. きれいな 日本人形ですね。
   …ええ。 この間 加藤さんの 奥さんが くださいました。

2. 中国では 子どもの 誕生日に 何を あげますか。
   …日本と だいたい 同じです。 おもちゃや 本を やります。

3. ゆうべは 遅かったですね。 タクシーで 帰ったんですか。
   …いいえ、課長に 寮まで 車で 送って いただきました。

4. ホームステイは どうでしたか。
   …楽しかったです。
   家族の 皆さんが とても 親切に して くださいました。

5. お子さんに どんな お土産を 買って あげますか。
   …時計か ラジカセを 買って やりたいです。

6. 手紙の 書き方が わからないんですが、ちょっと 教えて
   いただけませんか。
   …いいですよ。

会　話

手紙を　見て　もらう

ナロン：　あのう、日本語で　手紙を　書いたんですが、ちょっと
　　　　　見て　いただけませんか。

高　橋：　ええ、いいですよ。　何の　手紙ですか。

ナロン：　ホームステイの　お礼の　手紙です。

高　橋：　この間の　ホームステイですね。　どうでしたか。

ナロン：　家族の　皆さんが　とても　親切に　して　くださいました。

高　橋：　それは　よかったですね。

高　橋：　ええと、ここは　「招待して　もらって」より
　　　　　「招待して　いただいて」の　ほうが　いいですよ。
　　　　　丁寧に　なりますから。

ナロン：　そうですか。　ありがとう　ございました。

練習(れんしゅう) A

1. わたしは　しゃちょう　に　時計(とけい)を　いただきました。
　　　　　　ぶちょう
　　　　　　かちょう

2. しゃちょう　は　わたしに　時計(とけい)を　くださいました。
　ぶちょう
　かちょう

3. わたしは　おとうと　に　財布(さいふ)を　やりました。
　　　　　　いもうと
　　　　　　こども

4. わたしは　部長(ぶちょう)に　レポートを　なおして　いただきました。
　　　　　　　　　　　　　車(くるま)で　おくって
　　　　　　　　　　　　　工場(こうじょう)を　あんないして

5. 課長(かちょう)の　奥(おく)さんは　わたしに　料理(りょうり)を　つくって
　　　　　　　　　　　　わたしに　旅行(りょこう)の　写真(しゃしん)を　みせて
　　　　　　　　　　　　わたしを　東京(とうきょう)タワーへ　つれて　いって

　くださいました。

6. わたしは　息子(むすこ)に　時計(とけい)を　かって　やりました。
　　　　　　　　　　　　本(ほん)を　よんで
　　　　　　　　　　　　富士山(ふじさん)の　写真(しゃしん)を　おくって

7. 手紙(てがみ)の　まちがいを　なおして　いただけませんか。
　ワープロの　使(つか)い方(かた)を　おしえて
　もう　一度(いちど)　せつめいして

練習（れんしゅう） B

1. 例1： わたしは 友達に ネクタイを もらいました （部長）
……わたしは 部長に ネクタイを いただきました。
例2： 友達は わたしに 辞書を くれました （先生）
……先生は わたしに 辞書を くださいました。
1） わたしは 友達に 時計を もらいました （部長） ……
2） わたしは 友達に テレホンカードを もらいました （課長） ……
3） 友達は わたしに 珍しい 切手を くれました （加藤さん） ……
4） 友達は わたしに 歌舞伎の 切符を くれました （社長） ……

2. 例： ……わたしは 子どもに お菓子を やりました。

1） ……
2） ……
3） ……
4） ……

3. 例： 鈴木先生は 日本語を 教えました
……鈴木先生に 日本語を 教えて いただきました。
1） 中村さんは 本社へ 連れて 行きました ……
2） 高橋さんは 手紙の まちがいを 直しました ……
3） 加藤さんは コンピューターの 本を 貸しました ……
4） 部長は 工場を 案内しました ……

4. 例： 奥さんは すき焼きを 作りました
……奥さんは すき焼きを 作って くださいました。
1） 加藤さんは 友達を 紹介しました ……
2） 奥さんは 日本の 踊りを 見せました ……
3） 加藤さんは 駅まで 車で 送りました ……
4） 奥さんは 日本の 歌を 教えました ……

5．　例：　自転車を　買います（子ども）
　　　　……子どもに　自転車を　買って　やります。
　1）　本を　読みます（子ども）　……
　2）　着物を　買います（妹）　……
　3）　誕生日の　プレゼントを　送ります（息子）　……
　4）　日本の　写真を　見せます（娘）　……

6．　例：　だれに　日本語を　教えて　もらいましたか。（鈴木先生）
　　　　……鈴木先生に　教えて　いただきました。
　1）　いつ　加藤さんの　うちへ　招待して　もらいましたか。
　　　（先週の　日曜日）　……
　2）　だれが　車で　送って　くれましたか。（加藤さん）　……
　3）　加藤さんに　どこへ　連れて　行って　もらいましたか。
　　　（京都の　お寺）　……
　4）　お子さんに　どんな　お土産を　買って　あげますか。（おもちゃ）
　　　……

7．　例：　駅へ　行きたいです、　道を　教えます
　　　　……駅へ　行きたいんですが、道を　教えて　いただけませんか。
　1）　東京タワーへ　行きたいです、　地図を　書きます　……
　2）　ワープロの　使い方が　わかりません、　教えます　……
　3）　日本語で　手紙を　書きました、　見ます　……
　4）　この　本を　読みたいです、　貸します　……

練習　C

1.　A：　①いい　セーター ですね。

　　B：　これですか。　この間　②加藤さんの　奥さんに　いただきました。

　　　1）　①　きれいな　テレホンカード　　　②　加藤さん

　　　2）　①　いい　辞書　　　　　　　　　　②　田中さん

2.　A：　ホームステイは　どうでしたか。

　　B：　楽しかったです。

　　　　奥さんが　日本料理を　たくさん　作って　くださいました。

　　A：　そうですか。　よかったですね。

　　B：　ええ。　家族の　皆さんが　とても　親切に　して　くださいました。

　　　1）　娘さんが　ピアノを　弾きます

　　　2）　ご主人が　東京タワーへ　連れて　行きます

3.　A：　ホームステイに　行って、何を　しましたか。
　　B：　日本の　①料理を　習いました。
　　A：　そうですか。
　　B：　国へ　帰ったら、子どもに　②作って　やりたいです。

1）　①　歌を　歌います　　　　　　②　教えます
2）　①　踊りを　見せて　もらいます　　②　写真を　見せます

4.　A：　あのう、すみません。
　　B：　はい、何ですか。
　　A：　①手紙の　書き方が　わからないんですが、②教えて　いただけませんか。
　　B：　いいですよ。

1）　①　日本語で　手紙を　書きました　　②　見ます
2）　①　東京タワーへ　行きたいです　　②　地図を　書きます

問題（請配合本書錄帶教材８Ｂ進行練習）

1.　1）＿＿＿＿＿＿＿＿＿＿＿＿＿＿＿＿＿＿＿＿

　　2）＿＿＿＿＿＿＿＿＿＿＿＿＿＿＿＿＿＿＿＿

　　3）＿＿＿＿＿＿＿＿＿＿＿＿＿＿＿＿＿＿＿＿

　　4）＿＿＿＿＿＿＿＿＿＿＿＿＿＿＿＿＿＿＿＿

　　5）＿＿＿＿＿＿＿＿＿＿＿＿＿＿＿＿＿＿＿＿

2.

1）この（　　　　　）は ｛a．加藤さん／b．加藤さんの　奥さん／c．加藤さんの　お母さん｝に いただきました。

2）この（　　　　　）は　センターを　出る　とき、｛a．自分で　買いました。／b．田中さんが　くださいました。／c．田中さんに　電話しました。｝

3）きのうは ｛a．どこも　行きませんでした。／b．中村さんの　うちへ　行きました。／c．車で　友達と　遊びに　行きました。｝

帰りは　中村さんが　車で ｛a．送って　いただきました。／b．送って　くださいました。／c．運転して　やりました。｝

4）国へ　帰ったら、（　　　　　）や　（　　　　　）に ｛a．日本の　踊りを　見せて／b．日本の　踊りを　教えて／c．娘さんの　踊りの　写真を　見せて｝ やりたいです。

5）（　　　　　）の　手紙の　書き方が　わからなかったので、

高橋さんに　教えて ｛a．くださいました。／b．いただきました。／c．あげました。｝

3．正しい ほうを ○で 選んで ください。

1） わたしは 社長に 時計を （もらいました，いただきました）。

2） 森さんは わたしに 歌舞伎の 切符を （くださいました，いただきました）。

3） 熱が あったので、医者に 診て （あげました，もらいました）。

4） わたしは 鈴木先生に 日本語を 教えて （くださいました，いただきました）。

5） 高橋さんは わたしを 軽井沢へ 連れて 行って （くださいました，いただきました）。

6） 毎朝 花に 水を （くれた，やった） ので、きれいな 花が 咲きました。

7） 寝る まえに、いつも 子どもに 本を 読んで （あげます，やります）。

8） 家内は 国から 子どもの 写真を 送って （あげました，くれました）。

4．例： わたしは 友達（ に ） 本を 貸して もらいました。

1） A： いい シャツですね。
B： ええ、加藤さんの 奥さん（　　） いただいたんです。

2） A： わあ、新しい 時計ですね。
B： ええ、誕生日に 部長（　　） くださったんです。
A： 古いのは どう したんですか。
B： 弟（　　） やりました。

3） A： ゆうべは 遅かったですね。 タクシーで 帰ったんですか。
B： いいえ、加藤さん（　　） 車で 送って くださったんです。

4） A： 上手に 手紙が 書けましたね。
B： 実は 高橋さん（　　） まちがい（　　） 直して いただいたんです。

5．例： 手紙の 書き方が わからないんですが、教えて いただけませんか。

1） 日本語で 手紙を 書いたんですが、＿＿＿＿＿＿＿＿

2） コンピューターの 本を 読みたいんですが、＿＿＿＿＿＿＿＿

3） 漢字の 辞書が 欲しいんですが、＿＿＿＿＿＿＿＿

4） 機械の 調子が おかしいんですが、＿＿＿＿＿＿＿＿

6.

　毎日　寒いですが、山本さん　お元気ですか。
この間は　息子さんの　誕生日の　パーティーに　招待して　くださって、ありがとう　ございました。
　日本人の　うちに　泊まったのは　初めてでしたが、家族の　皆さんが　親切に　して　くださって、ほんとうに　うれしかったです。　奥さんが　作って　くださった　日本料理は　とても　おいしかったです。　それに　娘さんの　踊りも　とても　かわいくて、きれいでした。　娘さんを　見て、国に　いる　娘を　思い出しました。　山本さんの　うちで　撮った　写真を　家族に　送って　やりました。　きっと　今ごろ　写真を　見て　いるでしょう。　とても　楽しくて、時間を　忘れて　しまいました。
ほんとうに　ありがとう　ございました。
　時間が　あったら、ぜひ　また　皆さんに　会いたいと　思って　います。
　まだまだ　寒いので、かぜを　ひかないように　気を　つけて　ください。
家族の　皆さんにも　よろしく。　お元気で。　さようなら。

1月21日
山本太郎様

リー

例1：　リーさんは　山本さんの　うちへ　招待して　もらいました。　（　○　）

例2：　山本さんは　子どもが　1人しか　いません。　（　×　）

1）　奥さんに　おいしい　日本料理を　作って　いただきました。（　　）

2）　山本さんの　娘さんが　踊りを　見せて　くれました。　（　　）

3）　リーさんは　山本さんの　うちで　撮った　写真を　あした　家族に　送って　あげようと　思って　います。　（　　）

4）　リーさんは　来月　また　山本さんの　うちへ　行く　つもりです。　（　　）

第 42 課

ためます Ⅱ （ためる、ためて）		存錢，積存
けずります Ⅰ （けずる、けずって）		削，鏟
削ります（削る、削って）		
はずします Ⅰ （はずす、はずして）		取下
外します（外す、外して）		
あけます［あなを～］ Ⅱ （あける、あけて）		挖［洞］
［穴を～］		
まぜます Ⅱ （まぜる、まぜて）		攙雜，混合
混ぜます（混ぜる、混ぜて）		
まげます Ⅱ （まげる、まげて）		彎、折
曲げます（曲げる、曲げて）		
さんかします［りょこうに～］ Ⅲ （～する、～して）		參加［旅行］
参加します［旅行に～］		
もうしこみます Ⅰ （もうしこむ、もうしこんで）		申請
申し込みます（申し込む、申し込んで）		
ひつよう［な］	必要［な］	必要［的］
くわしい	詳しい	詳細的
いた	板	板
あな	穴	洞
ミキサー		攪拌機
せいび	整備	整備
コスト		成本，費用

42課

しゅうかん	習慣	習慣
けんこう	健康	健康
くうき	空気	空氣
しゃいん	社員	公司職員
かかり	係	專管人員
アルバイト		兼職工作
もみじ	紅葉	紅葉
みずうみ	湖	湖
まいつき	毎月	每月
まいとし	毎年	每年
きせつ	季節	季節
すこしずつ	少しずつ	一點一點地

☞ 5　さぎょうどうさと　こうぐ　p. 345

第 42 課

文　型

1.　うちを　買う　ために、お金を　ためて　います。

2.　この　ドライバーは　小さい　ねじを　締めるのに　使います。

例　文

1.　日本語の　資料が　読めますか。
…ええ。　難しいですが、新しい　技術を　習う　ために、
一生懸命　読んで　います。

2.　どうして　ロボットを　使って　いるんですか。
…生産の　コストを　下げる　ために、使って　いるんです。

3.　このごろ　帰るのが　遅いですね。
…ええ。　来週の　会議の　ために、いろいろ　資料を
作って　いるんです。

4.　この　工具は　何に　使うんですか。
…穴を　あけるのに　使います。

5.　カメラが　故障したんですが、すぐ　修理できますか。
…今　部品が　ないので、修理に　時間が　かかります。

6.　新しい　うちは　どうですか。
…近くに　店が　たくさん　あって、買い物に　便利です。

会　話

社員旅行に　誘われる

加　藤：　来月　箱根へ　社員旅行に　行くんですが、ラオさんも
　　　　　参加しませんか。

ラ　オ：　社員旅行？

加　藤：　ええ。　毎年　秋に　みんなで　旅行に　行くんです。
　　　　　この　旅行に　行く　ために、毎月　お金を　ためて
　　　　　いるんですよ。

ラ　オ：　そうですか。

加　藤：　秋は　紅葉が　きれいで、旅行に　いい　季節です。
　　　　　それに　箱根は　きれいな　湖も　あるし、富士山も
　　　　　見えるし、いい　所ですよ。

ラ　オ：　そうですか。　いつまでに　申し込んだら　いいですか。

加　藤：　来週の　月曜日までに　お願いします。
　　　　　詳しい　ことは　係の　佐藤さんに　聞いて　ください。

練習　A

1.

うちを	かう	ために、	お金を　ためます。
漢字を	べんきょうする		辞書を　買いました。
	かぞくの		一生懸命　働きます。
来週の	かいぎの		準備して　います。

2.

ドリルは　穴を	あける	のに	使います。
この　本は　日本の　ことを	しる		役に　立ちます。
この　時計は	なおす		1週間　かかります。

3.

ビデオは　日本語の	べんきょう	に	役に　立ちます。
近くに　スーパーが　あって、	かいもの		便利です。
秋は　涼しくて、	りょこう		いいです。

42課

練習　B

1.　例：　漢字を　勉強します、　辞書を　買います
　　　　……漢字を　勉強する　ために、辞書を　買います。
　1）　旅行に　行きます、　少しずつ　お金を　ためます　……
　2）　新しい　技術を　習います、　日本へ　来ました　……
　3）　デザインを　決めます、　会議を　します　……
　4）　おいしい　料理を　作ります、　いい　材料を　選びます　……

2.　例：　一生懸命　働きます（家族）
　　　　……家族の　ために、一生懸命　働きます。
　1）　たばこを　やめます（健康）　……
　2）　いつも　テレビを　見て　います（日本語の　勉強）　……
　3）　本を　借りました（発表の　準備）　……
　4）　会社の　人が　パーティーを　して　くださいました（わたし）　……

3.　例：　どうして　アメリカへ　行くんですか。（英語を　勉強します）
　　　　……英語を　勉強する　ために、行くんです。
　1）　どうして　お金を　ためて　いるんですか。（結婚します）　……
　2）　どうして　ロボットを　使って　いるんですか。
　　　（生産の　コストを　下げます）　……
　3）　何の　ために、アルバイトを　して　いるんですか。（旅行に　行きます）
　　　……
　4）　何の　ために、あの　ランプは　あるんですか。（故障を　知らせます）
　　　……

4．　例：　ドライバー、小さい　ねじを　締めます

　　……この　ドライバーは　小さい　ねじを　締めるのに　使います。

1）　ミキサー、原料を　混ぜます　……

2）　ドリル、板に　穴を　あけます　……

3）　機械、パイプを　曲げます　……

4）　機械、板を　削ります　……

5．　例1：　ここは　静かで、いい　店ですね。（ゆっくり　話します、いいです）

　　……ええ、ゆっくり　話すのに　いいです。

例2：　近くに　店が　あって、いいですね。（買い物します、便利です）

　　……ええ、買い物に　便利です。

1）　駅から　近くて、いいですね。（会社に　通います、便利です）　……

2）　この　傘は　軽くて、いいですね。

（旅行に　持って　行きます、便利です）　……

3）　近くに　公園が　あって、いいですね。（散歩します、いいです）　……

4）　この　辞書は　専門の　ことばが　多くて、いいですね。

（実習します、役に　立ちます）　……

6．　例：　京都へ　行きます、何が　いちばん　便利ですか

　　……京都へ　行くのに　何が　いちばん　便利ですか。

1）　日本の　習慣を　知ります、どんな　本が　いいですか　……

2）　うちを　建てます、どのくらい　お金が　必要ですか　……

3）　自動車を　1台　作ります、どのくらい　時間が　かかりますか　……

4）　この　カメラを　直します、どのくらい　時間が　かかりますか　……

練習　C

1.　A：　日本へ　旅行に　来たんですか。

　　B：　いいえ、コンピューターを　勉強する　ために、来ました。

　　A：　そうですか。　頑張って　ください。

　　1）　車の　整備を　習います

　　2）　日本の　会社で　実習します

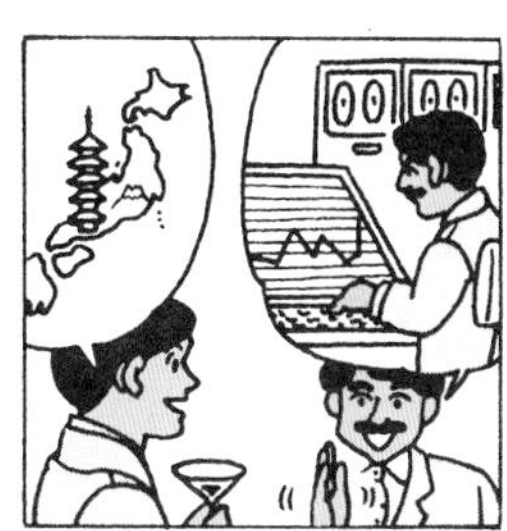

2.　A：　このごろ　寮へ　帰るのが　遅いですね。

　　B：　ええ。　来週の　①出張の　ために、②いろいろ　準備して　いるんです。

　　A：　そうですか。　大変ですね。

　　1）　①　会議　　　②　資料を　作ります

　　2）　①　発表　　　②　レポートを　まとめます

3.　A：　いろいろな　工具が　ありますね。

　　B：　ええ、全部で　100種類ぐらい　あります。

　　A：　この　工具は　何に　使うんですか。

　　B：　ねじを　締めるのに　使います。

　　　1)　ボルトを　外します

　　　2)　穴を　あけます

4.　A：　新しい　うちは　どうですか。

　　B：　①近くに　スーパーが　あって、②買い物に　③便利です。

　　A：　それは　いいですね。

　　　1)　①　近くに　公園が　あります　　②　散歩

　　　　　③　いいです

　　　2)　①　空気が　きれいです　　②　健康

　　　　　③　いいです

問　題（請配合本書錄帶教材８Ｂ進行練習）

1.　1）＿＿＿＿＿＿＿＿＿＿＿＿＿＿＿＿＿＿＿＿

　　2）＿＿＿＿＿＿＿＿＿＿＿＿＿＿＿＿＿＿＿＿

　　3）＿＿＿＿＿＿＿＿＿＿＿＿＿＿＿＿＿＿＿＿

　　4）＿＿＿＿＿＿＿＿＿＿＿＿＿＿＿＿＿＿＿＿

　　5）＿＿＿＿＿＿＿＿＿＿＿＿＿＿＿＿＿＿＿＿

2.

1）｛a．漢字を　勉強する／b．旅行を　する／c．本屋へ　行く｝ ために、（　　　　　）が　欲しいです。

2）（　　　　　）の　ために、｛a．車に　乗った／b．できるだけ　歩いた／c．毎日　走った｝ ほうが いいです。

3）この　工具は　（　　　　　）です。
｛a．パイプを　切ったり、曲げたり／b．部品を　取り付けたり、外したり／c．ボルトを　締めたり、緩めたり｝ するのに　使います。

4）ここは ｛a．静かで、きれいな／b．空気も　きれいで、いい／c．駅から　近くて、便利な｝ 所ですが、
（　　　　　）のに　ちょっと　不便です。

5）この　ワープロは　部品が　置いて　ないので、（　　　　　）に
｛a．2，3日／b．1週間／c．2週間｝ ぐらい　かかります。

3．　例1：　（英語を　勉強する）　ために、アメリカへ　行きたいです。

例2：　（家族）の　ために、一生懸命　働きます。

1）　（　　　　　　　　　）　ために、日本へ　来ました。

2）　（　　　　　　　　　）　ために、ロボットが　たくさん　使われて　います。

3）　（　　　　　　　　　）の　ために、毎朝　ジョギングを　して　います。

4）　（　　　　　　　　　）の　ために、資料を　まとめて　います。

4．

例：　この　ドライバーは　小さい　ねじを　締めるのに　使います。

1）　この　機械は　＿＿＿＿＿＿＿＿＿＿＿＿＿＿＿＿

2）　この　ミキサーは　＿＿＿＿＿＿＿＿＿＿＿＿＿＿

3）　この　ロボットは　＿＿＿＿＿＿＿＿＿＿＿＿＿＿

4）　この　ドリルは　＿＿＿＿＿＿＿＿＿＿＿＿＿＿＿

5．　例1：　大阪へ　（　行く　）のに、新幹線が　いちばん　便利です。

例2：　うちの　近くに　スーパーが　あって、（　買い物　）に　便利です。

1）　この　辞書は　技術の　ことばを　（　　　　）のに　いいです。

2）　一般研修は　日本の　ことを　（　　　　）のに　とても　役に　立ちます。

3）　秋は　紅葉が　きれいで、（　　　　）に　いい　季節です。

4）　スポーツは　（　　　　）に　いいです。

6．　例：　この　ビルを　作るの（　に　）　2年　かかりました。

1）　日本語を　話すの（　　　）　難しいです。

2）　わたしは　映画を　見るの（　　　）　好きです。

3）　きのうの　晩　地震が　あったの（　　　）　知って　いますか。

4）　この　本は　日本の　生活や　習慣を　知るの（　　　）　とても　いい　本です。

7.　「ように」か　「ために」か　「のに」を　入れて　ください。

例：　漢字が　書ける　（ように）、毎日　勉強して　います。

1）　この　傘は　軽くて、旅行に　持って　行く　（　　　）　便利です。

2）　生産の　コストを　下げる　（　　　）、ロボットを　使って　います。

3）　会社に　遅れない　（　　　）、早く　起きます。

4）　森さんの　息子さんは　大学に　入る　（　　　）、一生懸命
　　勉強して　います。

8.

> 中村さんは　成田空港の　近くに　住んで　います。　会社が　ある　東京から　うちまで　2時間ぐらい　かかります。
>
> 中村さんは　できるだけ　会社から　近い　所に　うちを　買いたいと　思って　いました。　でも、東京は　高くて、買えませんでした。　それで、今　住んで　いる　所に　決めました。　ここから　毎日　会社に　通うのは　大変ですが、駅から　近いし、うちの　そばに　きれいな　公園も　あって、住むのに　とても　いい　所だと　思って　います。
>
> 中村さんの　うちには　中村さんの　弟さんも　いっしょに　住んで　います。　ことし　21歳で、東京の　大学で　勉強して　います。弟さんは　来年　大学を　出たら、銀行で　働きたいと　思って　います。今は　夜　近くの　スーパーで　アルバイトを　して　います。
>
> 弟さんは　その　お金で、夏休みに　友達と　タイへ　行こうと　思って　います。

正しい　ものには　○、正しくない　ものには　×を　入れて　ください。

1）　中村さんの　うちは　会社から　遠いので、会社に　通うのは　大変です。
　　（　　　）

2）　会社から　遠いですが、いい　所なので、中村さんは　この　うちを
　　買って　よかったと　思って　います。　（　　　）

3）　中村さんの　弟さんは　銀行員に　なる　ために、スーパーで
　　働いて　います。　（　　　）

4）　中村さんの　弟さんは　タイへ　旅行に　行く　ために、アルバイトを
　　して　います。　（　　　）

第 43 課

なくなります［ガソリンが～］ I （なくなる、なくなって）		［汽油］用完，丟失
あずけます II （あずける、あずけて） 預けます（預ける、預けて）		寄放
むかえます II （むかえる、むかえて） 迎えます（迎える、迎えて）		迎接
じょうぶ［な］	丈夫［な］	結實［的］，強壯
すばらしい		極好的
だんボール	段ボール	瓦楞紙箱
コインロッカー		投幣式保管箱
ひ	火	火
けむり	煙	煙
ガソリン		汽油
おもいで	思い出	回憶
ボート		小船
～の ほう	～の 方	～的方向（表示方向）
いまにも	今にも	眼看就要 （變化前夕的狀況）

＊　＊　＊　＊　＊

【ふじさん】を　バックに　して、
【富士山】を　バックに　して、

以【富士山】爲背景

ほんとうに　きて　よかったです。
ほんとうに　来て　よかったです。

能來這裏，眞好。
(表示喜悅)

いい　おもいでに　なります。
いい　思い出に　なります。

留下美好的回憶。

第 43 課

文 型

1. 今にも 雨が 降りそうです。
2. ちょっと たばこを 買って 来ます。

例 文

1. 棚から 荷物が 落ちそうですよ。
   …あ、どうも。 すぐ 降ろします。

2. お菓子は いかがですか。
   …おいしそうですね。 1つ いただきます。

3. この 店で お土産を 買いませんか。 品物も 多いし、
   よさそうですよ。
   …そうですね。 ここに しましょう。

4. 国に 荷物を 送りたいんですが、箱は ありませんか。
   …この 段ボールは どうですか。
   これは 丈夫そうですね。 ありがとう ございます。

5. さあ、行きましょう。
   …すみません。 カメラを 忘れました。
   ちょっと 取って 来ますから、待って いて ください。

6. ちょっと 出かけて 来ます。
   …今晩 寮で パーティーが ありますよ。
   ええ。 夕方までに 帰って 来ます。

会　話

社員旅行

佐　藤：　皆さん、富士山を　バックに　して、写真を
　　　　　撮りましょう。
ラ　オ：　加藤さんたちは　お土産屋の　方へ　行きましたよ。
　　　　　ちょっと　呼んで　来ます。

佐　藤：　いい　所でしょう？
ラ　オ：　ええ。　ボートに　乗って　いる　人も　いますね。
佐　藤：　みんな　楽しそうですね。
ラ　オ：　富士山も　すばらしいし、紅葉も　きれいだし、
　　　　　ほんとうに　来て　よかったです。　いい　思い出に
　　　　　なります。

練習(れんしゅう)　A

1.　今(いま)にも　雨(あめ)が　ふり　そうです。
　　　　　　　火(ひ)が　きえ
　　　　　　　荷物(にもつ)が　おち

1. 今(いま)にも	雨(あめ)が	ふり	そうです。
	火(ひ)が	きえ	
	荷物(にもつ)が	おち	

2.	この　料理(りょうり)は	おいし	そうです。
	この　辞書(じしょ)は	よさ	
	この　箱(はこ)は	じょうぶ	

3. ちょっと	飲(の)み物(もの)を	かって	来(き)ます。
	電話(でんわ)を	かけて	
	買(か)い物(もの)に	いって	

練習　B

1.　例：　雨が　降ります　……雨が　降りそうです。

　1）　荷物が　落ちます　……

　2）　木が　倒れます　……

　3）　ひもが　切れます　……

　4）　火が　消えます　……

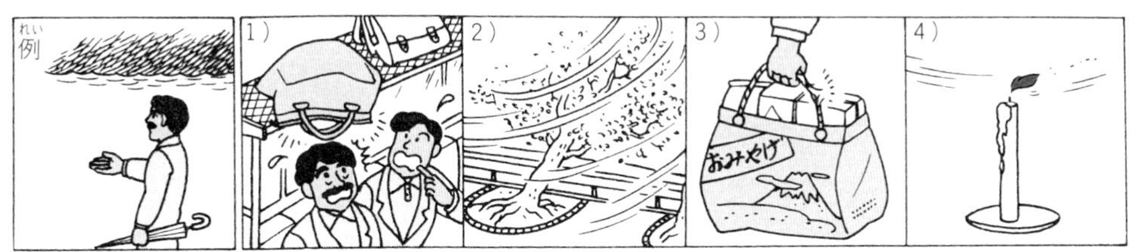

2.　例：　雨が　降ります、　傘を　持って　行きましょう

　……雨が　降りそうですから、傘を　持って　行きましょう。

　1）　ひもが　切れます、　換えます　……

　2）　袋が　破れます、　新しいのを　買います　……

　3）　棚から　荷物が　落ちます、　降ろしましょう　……

　4）　ガソリンが　なくなります、　入れて　おきます　……

3.　例：　手紙を　もらって、うれしいです

　……リーさんは　手紙を　もらって、うれしそうです。

　1）　手紙が　来なくて、寂しいです　……

　2）　仕事が　たくさん　あって、忙しいです　……

　3）　かぜを　ひいて、気分が　悪いです　……

　4）　病気が　治って、元気です　……

4．　例(れい)：　その　荷物(にもつ)は　重(おも)いです、　持(も)って　あげましょう
　　　……その　荷物(にもつ)は　重(おも)そうですね。　持(も)って　あげましょう。
　1）　この　雑誌(ざっし)は　おもしろいです、　ちょっと　見(み)せて　ください　……
　2）　この　店(みせ)は　品物(しなもの)が　いいです、　ここで　買(か)いましょう　……
　3）　その　箱(はこ)は　丈夫(じょうぶ)です、　それに　本(ほん)を　入(い)れましょう　……
　4）　この　料理(りょうり)は　おいしいです、　これに　しましょう　……

5．　例(れい)：　電話(でんわ)を　かけます
　　　……ちょっと　電話(でんわ)を　かけて　来(き)ますから、ここで　待(ま)って　いて
　　　　ください。
　1）　電車(でんしゃ)の　時間(じかん)を　調(しら)べます　……
　2）　道(みち)を　聞(き)きます　……
　3）　お手洗(てあら)いへ　行(い)きます　……
　4）　コインロッカーに　荷物(にもつ)を　預(あず)けます　……

6．　例(れい)：　どこへ　行(い)くんですか。（いい　天気(てんき)なので、ちょっと　散歩(さんぽ)します）
　　　……いい　天気(てんき)なので、ちょっと　散歩(さんぽ)して　来(き)ます。
　1）　どこへ　行(い)くんですか。
　　　（のどが　かわいたので、ちょっと　ジュースを　買(か)います）　……
　2）　どこへ　行(い)くんですか。（部屋(へや)に　カメラを　忘(わす)れたので、取(と)ります）
　　　……
　3）　どこへ　行(い)くんですか。（友達(ともだち)が　来(く)るので、駅(えき)へ　迎(むか)えに　行(い)きます）
　　　……
　4）　どこへ　行(い)ったんですか。（箱根(はこね)へ　旅行(りょこう)に　行(い)きました）　……

練習　C

1.　A：　あ、①袋が　破れそうですよ。

　　B：　ほんとうだ。　じゃ、あの　店で　②新しいのを　買います。

　　1）　①　袋から　物が　落ちます　　　②　もっと　大きいです

　　2）　①　袋の　ひもが　切れます　　　②　もっと　丈夫です

2.　A：　①忙しそうですね。

　　B：　ええ、②パーティーの　準備を　して　いるんです。

　　A：　じゃ、③手伝って　あげましょう。

　　B：　すみません。

　　1）　①　その　箱は　重いです　　　②　本が　入って　います

　　　　③　持ちます

　　2）　①　気分が　悪いです　　　②　頭が　痛いです

　　　　③　薬を　持って　来ます

3．　A：　あ、いけない。

　　B：　どう　したんですか。

　　A：　かぎを　掛(か)けるのを　忘(わす)れました。

　　　　ちょっと　掛(か)けて　来(き)ますから、待(ま)って　いて　ください。

　　B：　はい。

1）　窓(まど)を　閉(し)めます

2）　ヒーターを　消(け)します

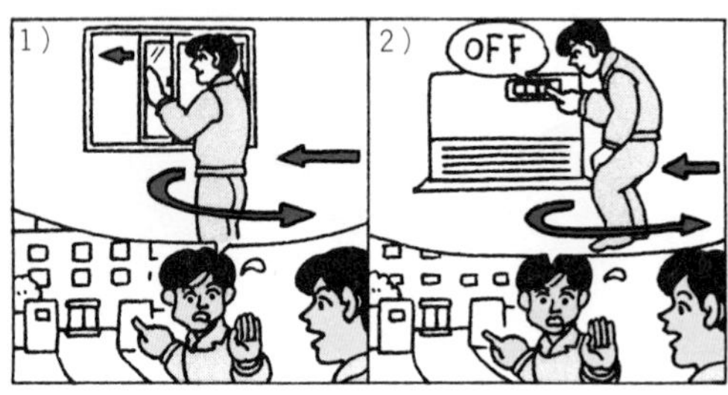

4．　A：　どこへ　行(い)くんですか。

　　B：　①電池(でんち)が　なくなったので、ちょっと　②買(か)って　来(き)ます。

　　A：　そうですか。　行(い)って　いらっしゃい。

1）　①　いい　天気(てんき)です　　　②　散歩(さんぽ)します

2）　①　友達(ともだち)が　来(き)ます　　②　駅(えき)へ　迎(むか)えに　行(い)きます

問(もん)題(だい)（請配合本書錄帶教材８Ｂ進行練習）

1\. 1）＿＿＿＿＿＿＿＿＿＿

2）＿＿＿＿＿＿＿＿＿＿

3）＿＿＿＿＿＿＿＿＿＿

4）＿＿＿＿＿＿＿＿＿＿

5）＿＿＿＿＿＿＿＿＿＿

2\.

1）荷物(にもつ)が　（　　　　　）そうですから、{ a．カバーを　掛(か)けて　b．かぎを　掛(か)けて　c．棚(たな)から　降(お)ろして }

おきます。

2）袋(ふくろ)が　（　　　　　）そうですから、あの　店(みせ)で　もっと

{ a．大(おお)きい　b．高(たか)い　c．丈夫(じょうぶ)な }のを　買(か)います。

3）ラオさんは　このごろ　{ a．毎日(まいにち)　残業(ざんぎょう)で　b．実習(じっしゅう)の　内容(ないよう)が　難(むずか)しくて、　c．実習(じっしゅう)の　発表(はっぴょう)の　準備(じゅんび)で }

（　　　　　）そうです。

4）ヒーターを　{ a．つける　b．消(け)す　c．締(し)める }のを　忘(わす)れて　しまったので、ちょっと

（　　　　　）　来(き)ます。

5）ラオさんは　さっき　{ a．湖(みずうみ)　b．お土産屋(みやげや)　c．お手洗(てあら)い }の　方(ほう)へ　行(い)ったので、

わたしが　（　　　　　）　来(き)ます。

3.

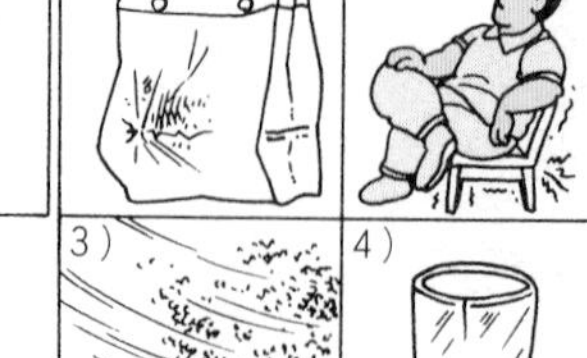

例： マッチの　火が　消えそうです。

1）＿＿＿＿＿＿＿＿

2）＿＿＿＿＿＿＿＿

3）＿＿＿＿＿＿＿＿

4）＿＿＿＿＿＿＿＿

4.　例： 雨が　やみそうですから、そろそろ　出かけます。

1）今にも　雨が　降りそうですから、＿＿＿＿＿＿＿＿

2）きょうは　いい　天気に　なりそうですから、＿＿＿＿＿＿＿＿

3）棚から　荷物が　落ちそうですから、＿＿＿＿＿＿＿＿

4）重くて、袋の　ひもが　切れそうですから、＿＿＿＿＿＿＿＿

5.　例： A： その　荷物は　（　重　）そうですね。

わたしが　（　持って　）　あげましょうか。

B： すみません。　お願いします。

1）A： どの　お菓子に　しますか。

B： これが　いちばん　（　　　　）そうですから、これに　します。

A： 味は　どうですか。

B： うん、ほんとうに　（　　　　）ですね。

2）A： 雪は　もう　やみましたか。

B： いいえ、まだ　降って　います。　とても　（　　　　）そうです。

A： じゃ、コートを　（　　　　）　出かけましょう。

3）A： どこで　お土産を　買いましょうか。

B： この　店は　どうですか。

値段も　（　　　　）そうだし、品物も

（　　　　）そうですよ。

4）A： 段ボールが　欲しいんですが・・・

国に　荷物を　（　　　　）のに　要るんです。

B： じゃ、これは　どうですか。

A： これは　（　　　　）そうですね。

これを　ください。

6．　例：　A：　どこへ　行くんですか。

　　　　　B：　たばこが　なくなったので、買って　来ます。

　1）　A：　どこへ　行くんですか。

　　　　B：　のどが　かわいたので、＿＿＿＿＿＿＿＿

　2）　A：　かぎを　掛けるのを　忘れて　しまったので、＿＿＿＿

　　　　B：　じゃ、ここで　待って　います。

　3）　A：　駅へ　行く　道が　よく　わかりませんね。

　　　　B：　そうですね。　ちょっと　あの　人に　＿＿＿＿＿＿

　4）　A：　どこへ　行くんですか。

　　　　B：　きょうは　いい　天気なので、＿＿＿＿＿＿＿＿

　　　　A：　何時ごろ　寮へ　帰りますか。

　　　　B：　＿＿＿＿＿＿＿＿＿＿＿＿＿＿＿＿

7．　42、43課の　会話を　読んで、質問に　答えて　ください。

　1）　ラオさんは　どこへ　社員旅行に　行きましたか。

　　　＿＿＿＿＿＿＿＿＿＿＿＿＿＿＿＿

　2）　どうして　毎年　秋に　社員旅行に　行くんですか。

　　　＿＿＿＿＿＿＿＿＿＿＿＿＿＿＿＿

　3）　旅行の　係は　だれですか。

　　　＿＿＿＿＿＿＿＿＿＿＿＿＿＿＿＿

　4）　ラオさんは　社員旅行に　参加して、どう　思って　いますか。

　　　＿＿＿＿＿＿＿＿＿＿＿＿＿＿＿＿

第 44 課

かわります［いろが～］　I　（かわる、かわって）		［顏色］變化
変わります［色が～］（変わる、変わって）		
つきます［きずが～］　I　（つく、ついて）		有［瑕疵］
付きます［傷が～］（付く、付いて）		
やりなおします　I　（やりなおす、やりなおして）		重新做
やり直します（やり直す、やり直して）		
ふとい	太い	粗的
ほそい	細い	細的
あつい	厚い	厚的
うすい	薄い	薄的，淺的，淡的
こい	濃い	濃的
きたない	汚い	髒的
にがい	苦い	苦的
うわぎ	上着	外衣
したぎ	下着	內衣
りょう	量	量
はんぶん	半分	～半
－ばい	－倍	～倍
スタートボタン		開始的按鈕

いつまでも	永遠

＊　＊　＊　＊　＊

それは　いけませんね。	那可不行啊。 （同情對方的時候）
ほら	你看 （促使對方注意）

第 44 課

文　型

1.　ゆうべ　お酒を　飲みすぎました。
2.　この　辞書は　字が　大きくて、見やすいです。
3.　部屋を　きれいに　します。

例　文

1.　どう　したんですか。
…ゆうべ　食べすぎて、おなかの　調子が　悪いんです。

2.　こちらの　セーターは　いかがですか。
…これは　大きすぎますね。　もっと　小さいのを　見せて　ください。

3.　新しい　ワープロは　どうですか。
…操作が　簡単で、使いやすいです。

4.　この　テーブルには　新しい　材料が　使われて　います。
…今までのと　どう　違うんですか。
熱に　強くて、色が　変わりにくいんです。

5.　ズボンの　長さは　これで　いいですか。
…長すぎますから、もう　少し　短く　して　ください。

会　話

コピーを　とる

ナロン：　あのう、コピーの　とり方を　教えて　いただけませんか。
池　田：　いいですよ。　何を　コピーするんですか。
ナロン：　この　資料です。
　　　　　字が　小さすぎて、読みにくいので、もっと　大きく
　　　　　したいんです。
池　田：　じゃ、２倍に　したら　いいですよ。
ナロン：　はい。
池　田：　この　ボタンで　紙の　サイズを　選んで、それから
　　　　　スタートボタンを　押せば、コピーが　出ます・・・
　　　　　ほら、これで　どうですか。
ナロン：　大きく　なりましたね。　これなら、読みやすいです。
　　　　　どうも　ありがとう　ございました。

練習(れんしゅう) A

1.

お酒(さけ)を	のみ	すぎました。
ごはんを	たべ	
お金(かね)を	つかい	

2.

この　靴(くつ)は	ちいさ	すぎます。
この　料理(りょうり)は	から	
この　問題(もんだい)は	ふくざつ	

3.

この　ひも	は	きれ	やすいです。
この　せつめいしょ		わかり	
この　ボールペン		かき	

44課

4.

この　コップ	は	われ	にくいです。
この　くすり		のみ	
にほんじんの　なまえ		おぼえ	

5.

おと	を	おおき	く	します。
ねだん		やす	く	
へや		きれい	に	
かいぎ		らいしゅう	に	

練習　B

1.　例：　ごはんを　食べました　……ごはんを　食べすぎました。

1）　たばこを　吸いました　……

2）　ゆうべ　お酒を　飲みました　……

3）　砂糖を　入れました　……

4）　荷物を　載せました　……

2.　例：　この　カメラは　高いです　……この　カメラは　高すぎます。

1）　この　上着は　大きいです　……

2）　この　ズボンは　長いです　……

3）　この　ひもは　細いです　……

4）　この　問題は　簡単です　……

3.　例1：　お酒を　飲みました、　頭が　痛いです

……お酒を　飲みすぎて、頭が　痛いです。

例2：　この　かばんは　重いです、　持てません

……この　かばんは　重すぎて、持てません。

1）　テレビを　見ました、　目が　痛いです　……

2）　お土産を　買いました、　お金が　なくなりました　……

3）　この　料理は　辛いです、　食べられません　……

4）　この　問題は　複雑です、　わかりません　……

4．　例1：　この　コップは　すぐ　割れます
　　　　……この　コップは　割れやすいです。
　　例2：　この　ガラスは　なかなか　割れません
　　　　……この　ガラスは　割れにくいです。

1）　安い　時計は　すぐ　壊れます　……
2）　白い　シャツは　すぐ　汚れます　……
3）　ＡＴＭの　車は　なかなか　故障しません　……
4）　この　テーブルは　なかなか　傷が　付きません　……

5．　例1：　リーさんの　字は　読みやすいですか。（はい、きれいです）
　　　　……はい、きれいで、読みやすいです。
　　例2：　この　薬は　飲みやすいですか。（いいえ、苦いです）
　　　　……いいえ、苦くて、飲みにくいです。

1）　この　ワープロは　使いやすいですか。（はい、操作が　簡単です）　……
2）　この　靴は　はきやすいですか。（はい、軽いです）　……
3）　日本は　住みやすいですか。（いいえ、物が　高いです）　……
4）　この　説明書は　わかりやすいですか。
　　（いいえ、かたかなの　ことばが　多いです）　……

6．　例1：　音が　小さいです、　大きいです
　　　　……音が　小さいですから、大きく　して　ください。
　　例2：　部屋が　汚いです、　きれいです
　　　　……部屋が　汚いですから、きれいに　して　ください。

1）　コピーの　色が　薄いです、　濃いです　……
2）　うしろの　髪が　長いです、　短いです　……
3）　説明が　複雑です、　簡単です　……
4）　ごはんの　量が　多いです、　半分です　……

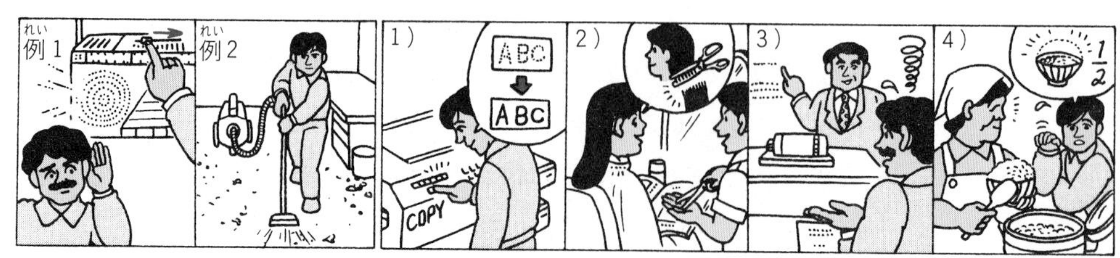

練習　C

1.　A：　どう　したんですか。

　　B：　①お酒を　飲みすぎて、②頭が　痛いんです。

　　A：　それは　いけませんね。

　　1）　①　食べます

　　　　　②　気分が　悪いです

　　2）　①　たばこを　吸います

　　　　　②　のどの　調子が　おかしいです

2.　A：　こちらの　①ビデオカメラは　いかがですか。

　　B：　ああ、これは　②操作が　簡単で、③使いやすいですね。

　　A：　ええ。今　いちばん　よく　売れて　いますよ。

　　B：　じゃ、これを　ください。

　　1）　①　テレビ　　　②　大きいです　　　③　見ます

　　2）　①　ワープロ　　②　字が　きれいです　③　読みます

3．　A：　この　テーブルには　新しい　材料が　使われて　います。
　　　B：　今までのと　どう　違うんですか。
　　　A：　①丈夫で、②傷が　付きにくいんです。
　　　B：　じゃ、いつまでも　きれいですね。

1）　①　熱に　強いです　　　②　色が　変わります
2）　①　丈夫です　　　　　②　汚れます

4．　A：　この　①板に　穴を　あけて　ください。
　　　B：　はい・・・これで　いいですか。
　　　A：　②小さすぎますね。　もっと　③大きく　して　ください。
　　　B：　わかりました。　やり直します。

1）　①　板を　切ります　　②　長いです　　③　短いです
2）　①　板を　削ります　　②　厚いです　　③　薄いです

問(もん)題(だい)（請配合本書錄帶教材８Ｂ進行練習）

1\. 1）＿＿＿＿＿＿＿＿＿＿＿＿＿＿＿＿＿＿＿＿

2）＿＿＿＿＿＿＿＿＿＿＿＿＿＿＿＿＿＿＿＿

3）＿＿＿＿＿＿＿＿＿＿＿＿＿＿＿＿＿＿＿＿

4）＿＿＿＿＿＿＿＿＿＿＿＿＿＿＿＿＿＿＿＿

5）＿＿＿＿＿＿＿＿＿＿＿＿＿＿＿＿＿＿＿＿

2\. 1）きのうの　パーティーで　お酒(さけ)を　（　　　　　　）、

- a．おなかが　痛(いた)いです。
- b．頭(あたま)が　痛(いた)いです。
- c．のどが　痛(いた)いです。

2）この　（　　　　　　）は

- a．ぴったりです。
- b．小(ちい)さすぎます。
- c．大(おお)きすぎます。

3）この　ワープロは

- a．字(じ)が　きれいで、
- b．操作(そうさ)が　複雑(ふくざつ)で、
- c．操作(そうさ)が　簡単(かんたん)で、

（　　　　　　）やすいです。

4）この　車(くるま)の　（　　　　　　）は

- a．割(わ)れにくくて、
- b．割(わ)れやすくて、
- c．汚(よご)れにくくて、

安全(あんぜん)です。

5）この　パイプは　（　　　　　　）すぎますから、もっと

- a．長(なが)く
- b．短(みじか)く
- c．薄(うす)く

して　ください。

3.

例1：　ごはんを　食べすぎました。

例2：　この　カメラは　高すぎます。

1）

2）

3）

4）

4.　例：　お酒を　飲みすぎて、　頭が　痛いです。

1）　働きすぎて、

2）　デパートで　買い物しすぎて、

3）　この　料理は　辛すぎて、

4）　この　荷物は　重すぎて、

5.　例1：　その　靴は　はきやすいですか。（はい、軽いです）

……はい、軽くて、はきやすいです。

例2：　その　本は　読みやすいですか。（いいえ、字が　小さいです）

……いいえ、字が　小さくて、読みにくいです。

1）　その　薬は　飲みやすいですか。（はい、甘いです）

……

2）　漢字は　覚えやすいですか。（いいえ、複雑です）

……

3）　その　カメラは　使いやすいですか。（はい、簡単です）

……

4）　その　辞書は　わかりやすいですか。（いいえ、例が　少ないです）

……

6．例：　この　ひもは　細くて、（　c　）　　　a．飲みにくいです。
1）　この　コピーは　薄くて、（　　）　　　b．住みにくいです。
2）　この　薬は　苦くて、（　　）　　　c．切れやすいです。
3）　この　鉛筆は　短すぎて、（　　）　　　d．書きにくいです。
4）　日本は　物が　高すぎて、（　　）　　　e．読みにくいです。

7．例：　ラジオの　音が　大きいですから、（　小さく　）　して　ください。
1）　部屋が　汚いですから、（　　　　）　して　ください。
2）　宿題の　量が　多いですから、もっと　（　　　　）　して　ください。
3）　ガスの　火が　強すぎますから、もっと　（　　　　）　して　ください。
4）　あしたは　都合が　悪いですから、（　　　　）　して　ください。

8．例：　日本では　冬に　なると、寒く（（なります），します）。
1）　かぜは　どうですか。
……おかげさまで、熱も　下がって、よく（なりました，しました）。
2）　飲み物は　何が　いいですか。
……きょうは　暑いので、ビールに（なります，します）。
3）　あの　道は　工事中ですね。
……ええ、道が　狭いので、広く（なって，して）　いるんです。
4）　少し　漢字が　書ける　ように（なりました，しました）。
……じゃ、できるだけ　漢字を　使って　レポートを　書くように（なって，して）　ください。

第 45 課

おきます［じしんが～］ Ⅱ （おきる、おきて） 起きます［地震が～］（起きる、起きて）		發生［地震］
にげます Ⅱ （にげる、にげて） 逃げます（逃げる、逃げて）		逃跑
はじまります［かいぎが～］ Ⅰ （はじまる、はじまって） 始まります［会議が～］（始まる、始まって）		［會議］開始
すぎます Ⅱ （すぎる、すぎて） 過ぎます（過ぎる、過ぎて）		經過，通過
まよいます［みちに～］ Ⅰ （まよう、まよって） 迷います［道に～］（迷う、迷って）		迷［路］
はいります［ひびが～］ Ⅰ （はいる、はいって） 入ります（入る、入って）		裂［縫］
あか	赤	紅(名詞)
くろ	黒	黑(名詞)
しろ	白	白(名詞)
あお	青	藍(名詞)
みどり	緑	綠
きいろ	黄色	黃
けいさつ	警察	警察
ひじょうぐち	非常口	太平門(緊急出口)
じどう～	自動～	自動～
へんじ	返事	回信，回答

かんり	管理	管理
ほうほう	方法	方法
シリンダー		汽缸
うちがわ	内側	內側，裏面
ひび		裂縫
れいきゃく	冷却	冷却
おんど	温度	溫度
ーど	ー度	～度
まんいち［～ばあいは］	万一［～場合は］	萬一［～場合］(輕易不發生的事，想像它發生了)
たまに		偶爾
このごろ		最近

＊　＊　＊　＊　＊

なんでしょうか。 何でしょうか。	是什麼？ (比“何ですか”更有禮貌的說法)
そのとおりです。	你說得對。 (認爲對方所說的是對的)

第45課

文型

1. 地震が 起きた 場合は、すぐ 火を 消して ください。
2. 薬を 飲んだのに、まだ 熱が 下がりません。

例文

1. このごろ 火事が 多いので、気を つけて ください。
…はい。 万一 火事が 起きた 場合は、どう したら いいですか。
すぐ 119番に 電話して ください。

2. コピー機の 修理が 終わりました。
また 調子が おかしい 場合は、連絡して ください。
…はい。 ありがとう ございました。

3. 日曜日 雨でも、ピクニックに 行きますか。
…いいえ。 雨の 場合は、来週に します。

4. すみません。
…はい、何ですか。
自動販売機の 調子が おかしいんです。 お金を 入れたのに、たばこが 出ないんです。

5. きょうは 日曜日なのに、会社へ 行くんですか。
…ええ。 仕事が 忙しいんです。

会　話

ミーティング

中　村：　きょう　1日　実習して　みて、どうでしたか。
リ　ー：　1つ　問題が　あるんですが・・・
中　村：　何でしょうか。
リ　ー：　同じ　方法で　シリンダーを　作って　いるのに、たまに
　　　　　内側に　ひびが　入るんです。
中　村：　ああ、それですか。
　　　　　冷却温度に　問題が　あった　場合は、そう　なります。
リ　ー：　じゃ、温度管理を　しっかり　やらなければ　なりませんね。
中　村：　そのとおりです。　あしたから　この　点に　気を
　　　　　つけて、作業の　やり方を　変えて　みましょう。

練習（れんしゅう） A

1.

ラインが	とまった	場合（ばあい）は、わたしを　呼（よ）んで　ください。
使（つか）い方（かた）が	わからない	
エンジンの　調子（ちょうし）が	わるい	
修理（しゅうり）が	ひつような	
機械（きかい）が	こしょうの	

2.

お金（かね）を	いれた	のに、	切符（きっぷ）が　出（で）ません。
1年（ねん）　日本（にほん）に	すんで　いる		日本語（にほんご）が　下手（へた）です。
この　店（みせ）は	まずい		値段（ねだん）が　高（たか）いです。
彼（かれ）は　日本語（にほんご）が	じょうずな		あまり　話（はな）しません。
きょうは	やすみな		仕事（しごと）を　しなければ　なりません。

45課

練習 B

1. 例： 地震が 起きます、 すぐ 火を 消して ください
　　……地震が 起きた 場合は、すぐ 火を 消して ください。
　1） 万一 火事が 起きます、 すぐ 119番に 電話します ……
　2） 交通事故が 起きます、 すぐ 警察に 知らせます ……
　3） 赤い ランプが つきます、 すぐ スイッチを 切って ください ……
　4） ラインが 止まります、 すぐ 原因を 調べて ください ……
　5） 電話番号が わかりません、 104番に 電話します ……

2. 例： 機械の 調子が 悪いです、 わたしを 呼んで ください
　　……機械の 調子が 悪い 場合は、わたしを 呼んで ください。
　1） コピーの 色が 薄いです、 この ボタンで 調節します ……
　2） 都合が 悪いです、 電話で 知らせて ください ……
　3） 修理が 必要です、 係の 人に 連絡して ください ……
　4） 火事です、 あの 非常口から 逃げて ください ……
　5） 雨です、 ピクニックを 来週に します ……

3. 例： タクシーを 呼びました、 まだ 来ません
　　……タクシーを 呼んだのに、まだ 来ません。
　1） お金を 入れました、 切符が 出ません ……
　2） 手紙を 出しました、 まだ 返事が 来ません ……
　3） 約束を しました、 友達は 来ませんでした ……
　4） だれも いません、 電気が ついて います ……
　5） カメラを 持って 行きました、 工場で 写真が 撮れませんでした ……

4.　例：　熱は　下がりましたか。（薬を　飲みました、まだ　下がりません）
　　　……いいえ、薬を　飲んだのに、まだ　下がりません。

1）　ナロンさんは　もう　帰って　来ましたか。
　　（12時を　過ぎました、まだ　帰って　来ません）　……

2）　リーさんは　もう　来ましたか。
　　（会議が　始まりました、まだ　来ません）　……

3）　パーティーの　飲み物は　足りましたか。
　　（たくさん　買いました、足りませんでした）　……

4）　スポーツセンターは　すぐ　わかりましたか。
　　（地図を　持って　行きました、道に　迷って　しまいました）　……

5）　試験は　できましたか。
　　（一生懸命　勉強しました、あまり　できませんでした）　……

5.　例1：　涼しいです、クーラーを　つけて　います
　　　……涼しいのに、クーラーを　つけて　います。
　　例2：　禁煙です、たばこを　吸って　います
　　　……禁煙なのに、たばこを　吸って　います。

1）　体の　調子が　悪いです、お酒を　飲んで　います　……

2）　この　紙は　薄いです、破れにくいです　……

3）　易しい　試験です、できませんでした　……

4）　日曜日です、会社へ　行かなければ　なりません　……

5）　信号が　赤です、道を　渡って　います　……

練習 C

1.　A：　このごろ　①火事が　多いですから、気を　つけて　ください。

　　B：　はい。　①火事が　起きた　場合は、どう　したら　いいですか。

　　A：　慌てないで、②119番に　電話して　ください。

　　B：　わかりました。

　　1）　①　地震　　　　②　火を　消します

　　2）　①　交通事故　　②　警察に　知らせます

2.　A：　ラインに　問題が　起きた　場合は、ランプが　赤に　変わりますから、

　　　　すぐ　スイッチを　切って　ください。

　　B：　はい、わかりました。

　　1）　ラインの　調子が　悪いです

　　2）　機械が　故障です

3．　A：　①かぜは　どうですか。

　　B：　②毎日　薬を　飲んで　いるのに、まだ　治らないんです。

　　A：　それは　いけませんね。

　　　　医者に　診て　もらった　ほうが　いいですよ。

　　B：　はい、そう　します。

1）　①　けが　　　　　　②　毎日　薬を　付けて　います

2）　①　おなかの　調子　　②　けさも　薬を　飲みました

4．　A：　すみません。

　　B：　はい、何ですか。

　　A：　自動販売機の　調子が　おかしいんです。　①千円札を　入れたのに、

　　　　②お釣りが　出ないんです。

　　B：　そうですか。　すぐ　調べます。

1）　①　ボタンを　押しました　　②　たばこ

2）　①　レバーを　回しました　　②　お釣り

問題 （請配合本書錄帶教材８Ｂ進行練習）

1\. 1）＿＿＿＿＿＿＿＿＿＿＿＿＿＿＿＿＿＿＿＿

2）＿＿＿＿＿＿＿＿＿＿＿＿＿＿＿＿＿＿＿＿

3）＿＿＿＿＿＿＿＿＿＿＿＿＿＿＿＿＿＿＿＿

4）＿＿＿＿＿＿＿＿＿＿＿＿＿＿＿＿＿＿＿＿

5）＿＿＿＿＿＿＿＿＿＿＿＿＿＿＿＿＿＿＿＿

2\.

1） ｛a．地震　b．火事　c．事故｝が　起きた　場合は、すぐ　（　　　　　）　ください。

2） ラインに　｛a．故障が　ない　b．問題が　ない　c．問題が　あった｝　場合は、すぐ　（　　　　　）、わたしを　呼んで　ください。

3） おとといから　（　　　　　）のに、
｛a．おなかの　調子が　悪いです。
b．まだ　かぜが　治りません。
c．熱が　下がりません。｝

4） お金を　（　　　　　）のに、｛a．たばこ　b．お釣り　c．たばこと　お釣り｝が　出ません。

5） 同じ　方法で　（　　　　　）を　作って　いるのに、
｛a．たまに　ひびが　入ります。
b．よく　ひびが　入ります。
c．少し　割れて　います。｝

3.　例：　地震が　起きます

……地震が　起きた　場合は、すぐ　火を　消して　ください。

1）　万一　火事が　起きます

……

2）　交通事故が　起きます

……

3）　ラインに　問題が　あります

……

4）　電話番号が　わかりません

……

4.　例：　（　地震　）の　場合は、エレベーターを　使わないで　ください。

1）　（　　　　）の　場合は、すぐ　119番に　電話して　ください。

2）　（　　　　）の　場合は、ピクニックに　行きません。

3）　ラインが　（　　　　）の　場合は、赤い　ランプが　つきます。

4）　信号が　（　　　　）の　場合は、車は　止まらなければ　なりません。

5.　例1：　かぜは　治りましたか。

……はい、薬を　飲んだ＿＿＿＿ので、治りました。＿＿＿＿

例2：　かぜは　治りましたか。

……いいえ、毎日　薬を　飲んで　いるのに、まだ　治りません。

1）　試験は　できましたか。

……いいえ、＿＿＿＿＿＿＿＿のに、＿＿＿＿＿＿＿＿

2）　ファックスの　送り方が　わかりますか。

……はい、＿＿＿＿＿＿＿＿ので、＿＿＿＿＿＿＿＿

3）　東京タワーへ　行く　道は　すぐ　わかりましたか。

……いいえ、＿＿＿＿＿＿＿＿のに、＿＿＿＿＿＿＿＿

4）　パーティーの　飲み物は　足りましたか。

……いいえ、＿＿＿＿＿＿＿＿のに、＿＿＿＿＿＿＿＿

6. 例： もし お金が あったら、(b)
1) 新宿へ 行った とき、(　　)
2) ビデオカメラなら、(　　)
3) お金を 入れて、
この ボタンを 押すと、(　　)
4) 切符が 出ない 場合は、(　　)

a. 駅の 人に 知らせます。
b. ヨーロッパを 旅行したいです。
c. 東京電気が 安くて、いいです。
d. この カメラを 買いました。
e. 切符と お釣りが 出ます。

7.

火事は 人が たくさん 住んで いる 東京や 大阪など 大きい 町に 多いです。 北海道など 寒い 所も 多いです。 日本の 冬は 寒くて、よく 火を 使うので、火事は 冬に 多いです。

地震が 起きた ときも、よく 火事に なります。 1923年9月1日に 東京で 大きな 地震が ありました。 その とき 壊れた うちは 128,266軒で、焼けた うちは 447,128軒です。 ちょうど 昼ごはんの 準備で 火を 使って いたので、火事が 起きました。 この 地震で 100,000人以上の 人が 死にました。

地震は 怖い、しかし、火事の ほうが もっと 怖いと 日本人は 思って います。

＊ 一軒： うちを 数える 言い方

1) 1年で いつが いちばん 火事が 多いですか。 それは どうしてですか。

____

2) 1923年の 地震で どうして 大きな 火事が 起きましたか。

____

3) この 地震で 壊れた うちと 焼けた うちと、どちらが 多いですか。

____

4) 地震が 起きた 場合は、まず 何を しなければ ならないと 思いますか。

____

復習 I

1．

例：	開きます	（b）	a 止まります
1）	つきます	（　）	b 閉まります
2）	動きます	（　）	c 降ろします
3）	上がります	（　）	d 輸入します
4）	込みます	（　）	e 消えます
5）	間に合います	（　）	f 分解します
6）	載せます	（　）	g 外します
7）	取り付けます	（　）	h 下がります
8）	締めます	（　）	i すきます
9）	組み立てます	（　）	j 緩めます
10）	輸出します	（　）	k 遅れます

例：	便利	（g）	a 複雑
1）	きれい	（　）	b 薄い
2）	簡単	（　）	c 細い
3）	大好き	（　）	d 大嫌い
4）	うるさい	（　）	e 軟らかい
5）	硬い	（　）	f 弱い
6）	強い	（　）	g 不便
7）	太い	（　）	h 汚い
8）	厚い	（　）	i まずい
9）	おもしろい	（　）	j 静か
10）	うまい	（　）	k つまらない

2．例：部長に　工場を　（案内します　…　案内して　）　いただきました。

1）加藤さんの　奥さんが　日本料理を　（作ります　…　　　　）　くださいました。

2）日本語で　手紙を　書いたんですが、ちょっと　（見ます　…　　　　）　いただけませんか。

3）駅から　近くて、会社に　（通います　…　　　　）のに　便利です。

4）袋の　ひもが　（切れます　…　　　　）そうですから、新しいのを　買います。

5）（忙しいです　…　　　　）そうですね。　手伝って　あげましょう。

6）ちょっと　受付に　荷物を　（預けます　…　　　　）　来ます。

7）ラジオの　音が　（大きいです　…　　　　）すぎますから、もっと　（小さいです　…　　　　）　して　ください。

8）この　テレビは　大きくて、（見ます　…　　　　）やすいです。

9）ここは　（禁煙です　…　　　　）のに、あの　人は　たばこを　吸って　います。

10）ゆうべ　一生懸命　（勉強します　…　　　　）のに、試験が　できませんでした。

3．正しい　ものを　選んで　ください。

1）レポートに　実習の　感想を　できるだけ ｛a．詳しく／b．だいたい／c．ぴったり｝ 書いて　ください。

2） 危ないですから、機械の 下に {a. 必ず / b. 絶対に / c. きちんと} 手を 入れないように して ください。

3） {a. もし / b. いくら / c. 今にも} 雨が 降りそうですから、早く 帰りましょう。

4） 旅行に 行くために、{a. 少ししか / b. 少しずつ / c. なかなか} お金を ためて います。

5） この テーブルは 硬くて、傷が 付きにくいので、{a. このごろ / b. たまに / c. いつまでも} きれいです。

6） ナロンさんは どこへ 行きましたか。

…{a. それじゃ、/ b. やあ、/ c. さあ、} どこへ 行ったか、わかりません。

7） きのう お酒を 飲みすぎました。{a. それで、/ b. それに、/ c. これから、} 頭が 痛いです。

8） ひらがなや かたかなは ほとんど 読めます。{a. ですから、/ b. しかし、/ c. そして、} 漢字は 全然 読めません。

9） {a. 万一 / b. いくら / c. このごろ} 火事が 起きた 場合は、すぐ 非常口から 逃げて ください。

10） 娘さんに どんな お土産を 買って あげますか。

…着物 {a. か / b. など / c. しか} 人形を 買って やりたいです。

I

第 46 課

でます［でんしゃが～］ Ⅱ （でる、でて） 出ます［電車が～］（出る、出て）	［電車］出發
みつかります［かぎが～］ Ⅰ （みつかる、みつかって） 見つかります（見つかる、見つかって）	找到［鑰匙］
ぬれます Ⅱ （ぬれる、ぬれて）	淋濕
かわきます Ⅰ （かわく、かわいて） 乾きます（乾く、乾いて）	乾
ぬります Ⅰ （ぬる、ぬって） 塗ります（塗る、塗って）	塗抹
はいります［かいしゃに～］ Ⅰ （はいる、はいって） 入ります［会社に～］（入る、入って）	進［公司］工作
すすみます［じゅんびが～］ Ⅰ （すすむ、すすんで） 進みます［準備が～］（進む、進んで）	［準備工作］ 順利進行，前進
くろうします［ことばに～］ Ⅲ （～する、～して） 苦労します	費力［學語言］

ペンキ		油漆
ちょうど		正好
たったいま	たった今	剛才(用於過去式，表示完畢)
あと～		還有～

＊　＊　＊　＊　＊

[とても]　たすかりました。 　[とても]　助かりました。	[很] 有幫助。 (對他人給予的幫助表示感謝)
【にほんごで　まとめる】のに　くろうしました。 　【日本語で　まとめる】のに　苦労しました。	【用日語總結】很辛苦。

46課

第 46 課

文　型

1. ちょうど　今から　映画が　始まる　ところです。
2. 彼は　先週　日本へ　来た　ばかりです。

例　文

1. 昼ごはんは　もう　食べましたか。
…いいえ、これから　食べる　ところです。
じゃ、いっしょに　食べましょう。

2. 会議の　資料は　もう　できましたか。
…すみません。今　コピーして　いる　ところです。
　もう　少し　待って　ください。

3. 遅く　なって、すみません。
仕事が　なかなか　終わらなかったんです。
…わたしも　たった今　来た　ところです。

4. この　壁は　さっき　ペンキを　塗った　ばかりですから、
触らないように　して　ください。
…はい、わかりました。

5. この　カメラは　買った　ばかりなのに、フラッシュが
つかないんです。
…すぐ　買った　店へ　持って　行った　ほうが　いいですよ。

会　話

発表の　準備

ラ　オ：　この　本、ありがとう　ございました。

加　藤：　いいえ。　役に　立ちましたか。

ラ　オ：　ええ。　知りたい　ことが　詳しく　書いて　あったので、
　　　　　とても　助かりました。

加　藤：　発表まで　あと　１週間しか　ありませんね。
　　　　　準備は　進んで　いますか。

ラ　オ：　ええ、発表の　内容は　だいたい　まとめました。
　　　　　これから　図や　表を　書く　ところです。

加　藤：　じゃあ、もう　少しですね。　大変だったでしょう？

ラ　オ：　ええ、日本語で　まとめるのに　苦労しました。

加　藤：　そうですか。　いい　発表が　できるように、頑張って
　　　　　ください。

ラ　オ：　はい、ありがとう　ございます。

練習(れんしゅう) A

1. ちょうど 今(いま)から

	でかける	ところです。
映画(えいが)が	はじまる	
みんなで	しょくじする	

2. 今(いま)

料理(りょうり)を	つくって いる	ところです。
レポートを	かいて いる	
荷物(にもつ)を	まとめて いる	

3. たった今(いま)

仕事(しごと)が	おわった	ところです。
電車(でんしゃ)が	でた	
うちへ	かえった	

4.

さっき	おきた	ばかりです。
この カメラは きのう	かった	
木村(きむら)さんは 先月(せんげつ)	けっこんした	

46課

練習 B

1．　例：　お茶を　飲みます
　　　　……ちょうど　今から　お茶を　飲む　ところです。
　　　　　いっしょに　いかがですか。
　1）　食事します　……
　2）　テニスを　します　……
　3）　パーティーが　始まります　……
　4）　社員旅行の　ビデオを　見ます　……

2．　例：　会議の　資料は　もう　できましたか。（コピーします）
　　　　……すみません。　今　コピーして　いる　ところですから、
　　　　　もう　少し　待って　ください。
　1）　レポートは　もう　できましたか。（書きます）　……
　2）　書類は　もう　できましたか。（チェックします）　……
　3）　洗濯機は　もう　修理できましたか。（修理します）　……
　4）　会議の　準備は　もう　できましたか。（やります）　……

3．　例：　リーさんは　もう　出かけましたか。
　　　　……はい、たった今　出かけた　ところです。
　1）　8時の　バスは　もう　出ましたか。　……
　2）　高橋さんは　もう　帰りましたか。　……
　3）　仕事は　もう　終わりましたか。　……
　4）　飛行機は　もう　着きましたか。　……

4. 例： 加藤さんは　いますか。（たった今　うちへ　帰りました）
……いいえ、たった今　うちへ　帰った　ところです。

1） 故障の　原因が　わかりましたか。（今　調べて　います）　……
2） けさ　大阪に　着いたんですか。（たった今　着きました）　……
3） かぎは　見つかりましたか。（今　捜して　います）　……
4） 発表に　使う　図は　もう　できましたか。（これから　書きます）　……

5. 例： さっき　起きました、　まだ　朝ごはんを　食べて　いません
……さっき　起きた　ばかりですから、まだ　朝ごはんを　食べて　いません。

1） さっき　食事しました、　まだ　おなかが　いっぱいです　……
2） さっき　シャワーを　浴びました、　まだ　髪が　ぬれて　います　……
3） けさ　ペンキを　塗りました、　まだ　乾いて　いません　……
4） 先月　会社に　入りました、　まだ　仕事に　慣れて　いません　……

6. 例： この　カメラは　先月　買いました、　壊れました
……この　カメラは　先月　買った　ばかりなのに、もう　壊れて　しまいました。

1） さっき　電話番号を　聞きました、　忘れました　……
2） 先週　お金を　もらいました、　なくなりました　……
3） さっき　掃除しました、　汚れました　……
4） この　車は　先週　修理しました、　故障しました　……

練習　C

1.　A：　あ、ナロンさん。

　　　　ちょうど　今から　お茶を　飲む　ところです。

　　　　いっしょに　いかがですか。

　　B：　はい、ありがとう　ございます。

　　　1）　ビデオを　見ます

　　　2）　パーティーを　始めます

2.　A：　会議の　準備は　もう　できましたか。

　　B：　すみません。　今　資料を　コピーして　いる　ところです。

　　A：　そろそろ　時間ですから、急いで　ください。

　　B：　はい、わかりました。

　　　1）　資料を　チェックします

　　　2）　机を　並べます

3．　A：　①果物（くだもの）は　いかがですか。

　　B：　ありがとう　ございます。　でも、今（いま）　②食事（しょくじ）した　ばかりですから、けっこうです。

1）　①　お菓子（かし）　　②　ごはんを　食（た）べます

2）　①　飲（の）み物（もの）　　②　コーヒーを　飲（の）みます

4．　A：　いらっしゃいませ。

　　B：　あのう、この　①カメラは　先週（せんしゅう）　②買（か）った　ばかりなのに、③フラッシュが　つかないんです。

　　A：　おかしいですね。　じゃ、すぐ　調（しら）べて　みましょう。

1）　①　テープレコーダー　　②　修理（しゅうり）します

　　③　音（おと）が　出（で）ません

2）　①　時計（とけい）　　②　電池（でんち）を　換（か）えます

　　③　動（うご）きません

問題（請配合本書錄帶教材８Ｂ進行練習）

1.

1）ナロンさんは　これから　{ a．一人で　b．みんなで　c．お母さんと }　（　　　　　）ところです。

2）2人は　たった今　{ a．来る　b．行った　c．来た }　ところです。

映画は　もうすぐ　（　　　　　）。

3）発表の　（　　　　　）は　今　{ a．始める　b．やって　いる　c．終わった }　ところです。

4）さっき　ペンキを　（　　　　　）　ばかりですから、

{ a．まだ　乾いて　いません。　b．もう　乾きました。　c．乾いた　ところです。 }

5）この　テープレコーダーは　先週　（　　　　　）　ばかりなのに、

{ a．もう　使い方を　忘れて　しまいました。　b．とても　調子が　いいです。　c．調子が　悪く　なりました。 }

46課

2．　例：　A：　昼ごはんは　もう　食べましたか。
B：　いいえ、今から　（　食べる　）　ところです。
1）　A：　講義は　終わりましたか。
B：　はい、たった今　（　　　　）　ところです。
2）　A：　映画は　もう　始まりましたか。
B：　いいえ、ちょうど　今から　（　　　　）　ところです。
3）　A：　かぎは　見つかりましたか。
B：　いいえ、今　一生懸命　（　　　　）　ところです。
4）　A：　故障の　原因は　わかりましたか。
B：　いいえ、まだです。　今　（　　　　）　ところです。

3．　例：　さっき　ごはんを　（　食べた　）　ばかりですから、まだ　おなかが　いっぱいです。
1）　さっき　（　　　　）　ばかりですから、まだ　眠いです。
2）　さっき　シャワーを　（　　　　）　ばかりですから、まだ　髪が　ぬれて　います。
3）　先月　会社に　（　　　　）　ばかりですから、まだ　仕事に　慣れて　いません。
4）　あの　研修生は　先週　日本へ　（　　　　）　ばかりですから、日本の　ことが　よく　わからないと　思います。

4．　例：　この　カメラは　先週　買いました
……この　カメラは　先週　買った　ばかりなのに、もう　壊れて　しまいました。
1）　先週　お金を　もらいました
……
2）　さっき　説明を　聞きました
……
3）　この　時計は　先週　修理しました
……
4）　この　机は　さっき　ふきました
……

5．下の □ から ことばを 選んで、（　）に 入れて ください。
（同じ ことばを 2回以上 使っても いいです。）

例：わたしは 本を 読む（　の　）が 好きです。

1）家族の（　　　）に、一生懸命 働きます。

2）すぐ 病院へ 行った（　　　）が いいです。

3）わたしは 来年 彼女と 結婚する（　　　）です。

4）わたしは 一度も 新幹線に 乗った（　　　）が ありません。

5）この シャツは 洗濯した（　　　）なのに、もう 汚れて
しまいました。

6）さっき わたしが やった（　　　）に、エンジンを
組み立てて ください。

7）ちょうど 今から お茶を 飲む（　　　）です。いっしょに
いかがですか。

8）わたしの 趣味は 映画を 見る（　　　）です。

9）わたしは 漢字を 読む（　　　）が できません。

10）旅行に 行く（　　　）に、お金を ためて います。

ところ、　ばかり、　ため、　の、　こと、　つもり、　とおり、　ほう

6．46課の 会話を 読んで、正しい ものには ○、正しくない ものには ×を
つけて ください。

1）ラオさんは 加藤さんに 借りた 本を 読んで いる ところです。
（　　）

2）この 本は 知りたい ことが 詳しく 書いて あったので、
役に 立ちました。（　　）

3）発表の 準備は 全部 終わりました。（　　）

4）日本語で 発表の 内容を まとめるのは 大変でした。（　　）

第 47 課

ふきます［かぜが～］ Ⅰ （ふく、ふいて） 吹きます［風が～］（吹く、吹いて）		刮［風］
のびます［じっしゅうが～］ Ⅱ （のびる、のびて） 延びます［実習が～］（延びる、延びて）		［實習］延長
にゅういんします Ⅲ （～する、～して） 入院します		住院
ノックします Ⅲ （～する、～して）		敲門
あつまります［ひとが～］ Ⅰ （あつまる、あつまって） 集まります［人が～］（集まる、集まって）		［人］集合
もえます［かみが～］ Ⅱ （もえる、もえて） 燃えます［紙が～］（燃える、燃えて）		［紙］燃燒
かかります［でんわが～］ Ⅰ （かかる、かかって） ［電話が～］		［電話］打通了
します［においが～］ Ⅲ （する、して）		有［味道］
します［おとが～］ Ⅲ （する、して） ［音が～］		有［聲音］
へん［な］	変［な］	怪，奇怪的
むしあつい	蒸し暑い	悶熱
てんきよほう	天気予報	天氣預報
シンガポール		新加坡
るす	留守	不在家
げんかん	玄関	正門
ろうか	廊下	走廊
ゆうびん	郵便	郵政，郵件
～や	～屋	～店（做～的人）

こうそくどうろ	高速道路	高速公路
どうろ	道路	道路，馬路
パトカー		警車
はんとし	半年	半年
どうも		總覺得(不確定的判斷的時候)
こんど	今度	下次，將來
なんども	何度も	多次
～に　よると		根據～ (表示傳聞的依據)

＊　＊　＊　＊　＊

しんぱいですね。	心配ですね。	很擔心啊。

第 47 課

文　型

1．天気予報に　よると、あしたは　雨が　降るそうです。

2．だれか　来たようです。

例　文

1．きのう　大阪の　ホテルで　火事が　あったそうですね。
…ええ、わたしも　新聞を　読んで、びっくりしました。

2．駅の　前に　できた　レストランは　安くて、
おいしいそうですよ。
…そうですか。　じゃ、今度　いっしょに　行って　みましょう。

3．シンガポールへ　行った　ことが　ありますか。
…いいえ、ありませんが、とても　きれいだそうですね。
ええ、ぜひ　遊びに　来て　ください。

4．玄関で　音が　しましたよ。　だれか　来たようです。
…そうですか。　じゃ、ちょっと　見て　来ます。

5．道が　込んで　いますね。
…向こうに　パトカーが　止まって　いますよ。
　どうも　事故のようですね。

会話

地震の　ニュースを　聞いて

ラ　オ：　けさ　サンフランシスコで　地震が　あったそうですね。
森　　：　ええ。　わたしも　テレビの　ニュースを　見て、
　　　　　びっくりしました。
佐　藤：　ビルが　倒れたり、高速道路が　壊れたりして、
　　　　　ずいぶん　大きな　地震だったようですね。
ラ　オ：　加藤さんは　今　サンフランシスコでしょう？
　　　　　大丈夫でしょうか。
森　　：　ええ。　それで　何度も　電話して　いるんですが、
　　　　　かからないんです。
ラ　オ：　心配ですね。
佐　藤：　大丈夫ですよ。　きっと　連絡が　ありますよ。

練習(れんしゅう)　A

1.　手紙(てがみ)に　よると、

ラオさんは			そうです。
	もうすぐ　国(くに)へ	かえる	
	この間(あいだ)　箱根(はこね)へ	いった	
	日本(にほん)で　もっと	じっしゅうしたい	
	毎日(まいにち)	いそがしい	
	とても	げんきだ	

2.　リーさんは

リーさんは			ようです。
	何(なに)か　用事(ようじ)が	ある	
	どこか	でかけた	
	今(いま)	いそがしい	
	きょうは	ひまな	
	どうも	びょうきの	

練習　B

1.　例：　いい　天気に　なります
　　……天気予報に　よると、あしたは　いい　天気に　なるそうです。
　1）　台風が　来ます　……
　2）　強い　風が　吹きます　……
　3）　蒸し暑いです　……
　4）　雨です　……

2.　例：　アメリカで　大きな　地震が　ありました
　　……ニュースに　よると、アメリカで　大きな　地震が　あったそうです。
　1）　地震で　ビルが　壊れました　……
　2）　北海道で　飛行機が　落ちました　……
　3）　火事で　デパートが　焼けました　……
　4）　ことしは　交通事故が　多かったです　……

3.　例：　どこで　事故が　あったんですか。（駅の　近く）
　　……駅の　近くで　あったそうです。
　1）　事故で　何人　死んだんですか。（3人）　……
　2）　火事の　原因は　何だったんですか。（たばこの　火）　……
　3）　ラオさんは　いつ　国へ　帰るんですか。（来月の　初めに）　……
　4）　ハンさんの　実習は　どのくらい　延びるんですか。（半年）　……

4.　例：　だれか　来ました

　　　　……だれか　来たようです。

1）　廊下に　だれか　います　……

2）　どこかに　かぎを　落としました　……

3）　リーさんは　何か　困って　います　……

4）　部屋に　泥棒が　入りました　……

5.　例：　ノックしても、返事が　ありません。（ラオさんは　どこか　行きました）

　　　　……ええ、ラオさんは　どこか　行ったようですね。

1）　かぎが　掛かって　います。（ラオさんは　部屋に　いません）　……

2）　人が　集まって　います。（事故です）　……

3）　変な　においが　します。（何か　燃えて　います）　……

4）　窓ガラスが　割れて　います。（ここから　泥棒が　入りました）　……

6.　例：　だれか　来ました、ちょっと　見て　来ます

　　　　……だれか　来たようですから、ちょっと　見て　来ます。

1）　何か　燃えて　います、調べて　来ます　……

2）　リーさんは　元気です、心配しないで　ください　……

3）　モーターが　故障です、調べて　みます　……

4）　渡辺さんは　留守です、また　あとで　来ましょう　……

練習　C

1.　A：　①ラオさんは　もうすぐ　国へ　帰るそうですよ。

　　B：　ほんとうですか。　いつですか。

　　A：　②来月の　初めだそうです。

　　1）　①　リーさんは　入院しました

　　　　②　1週間ぐらいまえです

　　2）　①　池田さんは　もうすぐ　結婚します

　　　　②　10月です

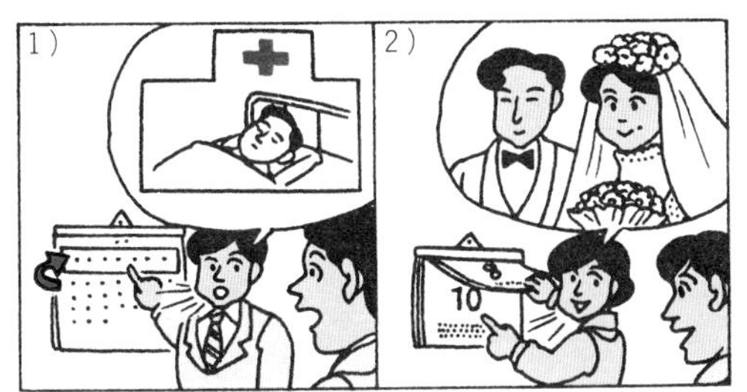

2.　A：　けさの　ニュースを　聞きましたか。

　　B：　いいえ、何か　あったんですか。

　　A：　サンフランシスコで　大きな　地震が　あったそうですよ。

　　B：　ほんとうですか。　怖いですね。

　　1）　北海道で　飛行機が　落ちました

　　2）　東京の　ホテルで　火事が　ありました

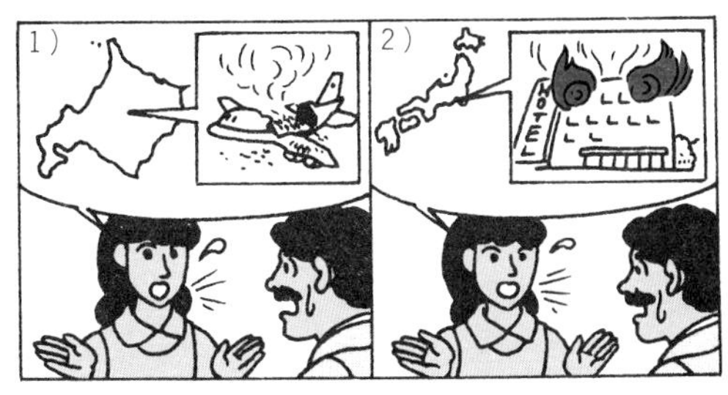

3.　A：かぎが　掛(か)かって　いますよ。
　　B：そうですね。　渡辺(わたなべ)さんは　いないようですね。
　　A：じゃ、また　あとで　来(き)ましょう。

　　1）　どこか　出(で)かけました
　　2）　留守(るす)です

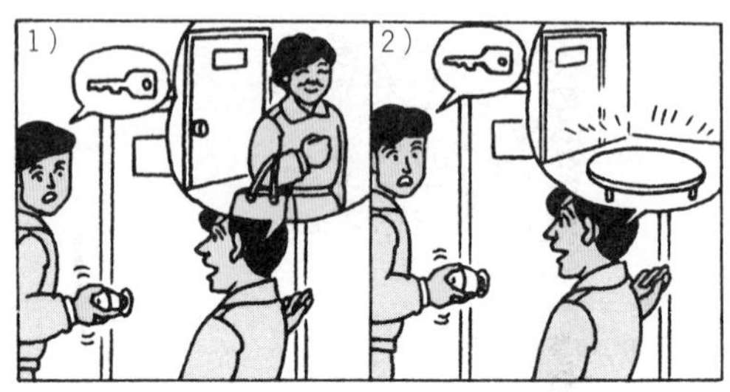

4.　A：玄関(げんかん)で　音(おと)が　しましたよ。　だれか　①来(き)たようです。
　　B：そうですか。　じゃ、ちょっと　見(み)て　来(き)ます。
　　A：だれでしたか。
　　B：②郵便屋(ゆうびんや)でした。

　　1）　①　います　　　②　子(こ)ども
　　2）　①　来(き)ました　　②　新聞屋(しんぶんや)

問　題（請配合本書錄帶教材８Ｂ進行練習）

1.　1）　（　　　　　）に　よると、

あしたは
- a．天気が　心配だ
- b．いい　天気に　なる
- c．天気が　悪く　なる

そうです。

2）　けさの　（　　　　　）に　よると、
- a．飛行機事故で　人が　たくさん　死んだ
- b．交通事故で　人が　たくさん　けがを　した
- c．地震で　人が　たくさん　死んだ

そうです。

3）　ラオさんは
- a．今月の　初め
- b．今月の　終わり
- c．来月の　終わり

に　（　　　　　）そうです。

4）　ナロンさんの　部屋は
- a．電気が　消えて
- b．窓が　閉まって
- c．かぎが　掛かって

います。

ナロンさんは　どこか　（　　　　　）ようです。

5）　ごみが　（　　　　　）から、変な
- a．音が　しました。
- b．においが　しました。
- c．味でした。

2．（　　）の 中に ことばを 入れて ください。

1） A： 田中さんの 話に よると、リーさんは 先週 病気で
東京病院に （　　　　） そうですよ。

B： それは 心配ですね。

2） A： 池田さん、もうすぐ （　　　　） そうですね。
おめでとう ございます。

B： ありがとう ございます。

3） A： きのう この 近くで 交通事故が （　　　　） そうです。

B： ほんとうですか。 怖いですね。

4） A： タイへ 行った ことが ありませんが、
（　　　　） そうですね。

B： ええ、ほんとうに きれいですよ。 ぜひ 来て ください。

3．例： A： この 写真を 見ると、バンコクは 車が
（　多　） そうですね。

B： ええ、ナロンさんの 話に よると、ほんとうに
（　多い　） そうですね。

1） A： きょうは 天気が 悪くて、今にも 雨が
（　　　　） そうですね。

B： ええ、天気予報に よると、きょうは 雨が
（　　　　） そうです。

2） A： 暖かく なって、もうすぐ 桜が （　　　　） そうですね。

B： そうですね。 ニュースに よると、九州では もう
（　　　　） そうですよ。

3） A： 外は 雪が 降って いて、（　　　　） そうですね。

B： ええ、天気予報に よると、あしたも （　　　　） そうです。

4） A： ラオさんは いつも （　　　　） そうですね。

B： ええ、おかげさまで。

A： 家族の 皆さんも お元気ですか。

B： ええ、手紙に よると、みんな （　　　　） そうです。

4．　例：　玄関の　方で　音が　しました。　だれか　来た＿＿＿＿ようです。

1）　ナロンさんの　部屋を　ノックしても、返事が　ありません。

＿＿＿＿＿＿＿＿＿＿ようです。

2）　向こうに　人が　たくさん　集まって　います。

＿＿＿＿＿＿＿＿＿＿ようです。

3）　変な　においが　します。　＿＿＿＿＿＿＿＿＿＿ようです。

4）　道が　ぬれて　います。　＿＿＿＿＿＿＿＿＿＿ようです。

5．　例：　どこかに　財布を　落としたようですから、ちょっと　捜して　来ます。

1）　廊下に　だれか　いるようですから、＿＿＿＿＿＿＿＿＿＿＿＿＿＿＿＿

2）　モーターが　故障のようですから、＿＿＿＿＿＿＿＿＿＿＿＿＿＿＿＿

3）　田中さんは　留守のようですから、＿＿＿＿＿＿＿＿＿＿＿＿＿＿＿＿

4）　どうも　かぜを　ひいたようですから、＿＿＿＿＿＿＿＿＿＿＿＿＿＿＿

6．

きのう　わたしの　うちに　泥棒が　入りました。　わたしが　夕方　ちょっと　買い物に　行った　とき、入られました。　ドアの　かぎを　掛けて　おいたのに、泥棒は　かぎを　壊して　入ったようです。　かぎが　壊れて　いました。　机の　引き出しに　お金が　入って　いましたが、泥棒は　わからなかったようです。　けれども、机の　上に　置いて　あった　カメラを　とられて　しまいました。　買った　ばかりなのに、とても　残念でした。

正しい　ものには　○、正しくない　ものには　×を　入れて　ください。

1）　ゆうべ　わたしが　寝て　いる　とき、泥棒に　入られました。（　　）

2）　泥棒に　お金と　カメラを　とられて　しまいました。（　　）

3）　泥棒は　ドアの　かぎを　壊して、入ったようです。（　　）

4）　わたしは　出かける　とき、ドアの　かぎを　掛けるのを　忘れて　しまいました。（　　）

第 48 課

しゅっせきします Ⅲ（～する、～して） 出席します		出席
とどけます Ⅱ（とどける、とどけて） 届けます（届ける、届けて）		送到，申報
れきし	歴史	歴史
ぶんか	文化	文化
すいえい	水泳	游泳
じゅく	塾	補習班
パンフレット		小冊子
ようす	様子	情況，狀態
じぶん	自分	自己
【かいしゃの】 もの	【会社の】 者	【公司的】人 （“者”表示自己人以及下屬、晚輩）
おしょうがつ	お正月	正月
ごちそう		盛情款待，酒席

かわりに	代わりに	代替(代理的意思)

＊　＊　＊　＊　＊

おまたせしました。　　　　　　　　　讓你久等了。
　お待たせしました。　　　　　　　　(讓人等待了，表示道歉)

あけまして　おめでとう　ございます。　　恭賀新年。

えんりょなく　［どうぞ］。　　　　　［請］別客氣。
　遠慮なく　［どうぞ］。

☞12　にほんの　さいじつと　ぎょうじ　p. 346

第 48 課

文 型

1. 部長は　加藤さんを　大阪へ　出張させました。
2. わたしは　娘に　ピアノを　習わせます。

例 文

1. コピー機が　故障したので、修理を　お願いします。
…わかりました。　係の　者を　すぐ　そちらへ　行かせます。

2. 中村さん、リーさんは　もう　帰ったんですか。
…ええ、熱が　あったので、寮へ　帰らせました。

3. もう　遅いですから、息子に　車で　送らせます。
…すみません。　お願いします。

4. この　工場の　ことを　もっと　知りたいんですが・・・
…じゃ、係の　者に　パンフレットを　持って　来させます。

5. すみません。　かぜを　ひいたので、きょう　1日　休ませて
いただけませんか。
…わかりました。　お大事に。

会話(かいわ)

お正月(しょうがつ)

高橋(たかはし)さんの
奥(おく)さん：　お待(ま)たせしました。
　　　　　　こちらへ　どうぞ。
ナロン：　わあ、すごい　ごちそうですね。
奥(おく)さん：　ええ。　お正月料理(しょうがつりょうり)なんですよ。
ナロン：　全部(ぜんぶ)　奥(おく)さんが　作(つく)ったんですか。
奥(おく)さん：　いいえ、娘(むすめ)に　いろいろ　手伝(てつだ)わせました。

高橋(たかはし)：　あけまして　おめでとう　ございます。
みんな：　あけまして　おめでとう　ございます。
奥(おく)さん：　さあ、ナロンさん、遠慮(えんりょ)なく　どうぞ。
ナロン：　いただきます。
奥(おく)さん：　あ、雪(ゆき)ですよ。
ナロン：　わあ、きれいですね。　日本(にほん)の　お正月(しょうがつ)は　いいですね。

練習（れんしゅう） A

1.

			使役（しえき）	
I	か	きます	か	かせます
	いそ	ぎます	いそ	がせます
	の	みます	の	ませます
	よ	びます	よ	ばせます
	つく	ります	つく	らせます
	てつだ	います	てつだ	わせます
	も	ちます	も	たせます
	なお	します	なお	させます

			使役（しえき）	
II	たべ	ます	たべ	させます
	しらべ	ます	しらべ	させます
	おぼえ	ます	おぼえ	させます

			使役（しえき）	
III	き	ます	こ	させます
	し	ます	さ	せます

2. 部長（ぶちょう）は　かとうさん／たかはしさん／いしかわさん　を　アメリカへ／会議（かいぎ）に／大阪（おおさか）へ　いかせました。／しゅっせきさせました。／しゅっちょうさせました。

3. わたしは　むすこ／むすめ／おとうと　に　しごと／へや／くるま　を　てつだわせます。／かたづけさせます。／あらわせます。

4. すみませんが、あした／早（はや）く／電話（でんわ）を　やすませて／かえらせて／つかわせて　いただけませんか。

練習　B

1.　例：　娘は　銀行へ　行きます

……娘を　銀行へ　行かせます。

1）　子どもは　公園で　遊びます　……

2）　子どもは　うちへ　帰ります　……

3）　子どもは　塾に　通います　……

4）　息子は　駅へ　迎えに　来ます　……

5）　娘は　買い物に　行きます　……

2.　例：　娘は　水泳を　習います

……娘に　水泳を　習わせます。

1）　弟は　仕事を　手伝います　……

2）　息子は　車を　運転します　……

3）　子どもは　自分の　荷物を　持ちます　……

4）　妹は　お茶を　持って　来ます　……

5）　子どもは　歴史の　本を　読みます　……

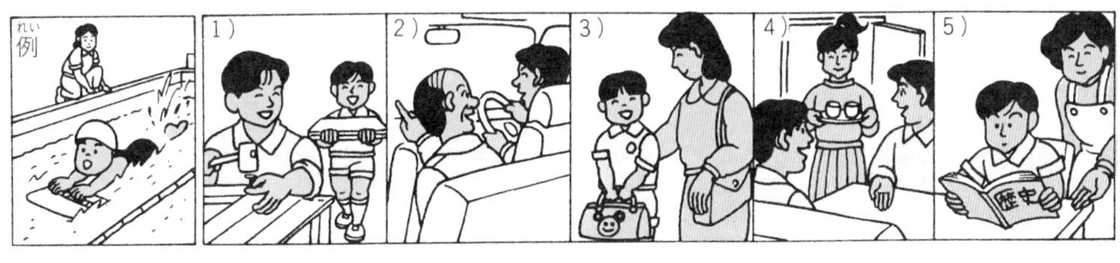

3.　例1：　熱が　あります、　子どもは　休みます

……熱が　あるので、子どもを　休ませます。

例2：　体に　いいです、　子どもは　毎日　牛乳を　飲みます

……体に　いいので、子どもに　毎日　牛乳を　飲ませます。

1）　台風が　来ます、　子どもは　早く　うちへ　帰ります　……

2）　わたしは　都合が　悪いです、　息子は　代わりに　行きます　……

3）　道が　わかりにくいです、　息子は　駅まで　迎えに　行きます　……

4）　部屋が　汚いです、　子どもは　部屋を　掃除します　……

5）　もう　遅いです、　息子は　駅まで　送ります　……

4.　例：　工場の　中を　見たいんですが・・・
　　　　(案内します)　……じゃ、係の　者に　案内させます。
　1)　この　工場の　生産管理に　ついて　知りたいんですが・・・
　　　(説明します)　……
　2)　工場の　パンフレットを　もらいたいんですが・・・
　　　(持って　来ます)　……
　3)　機械の　調子が　おかしいんですが・・・
　　　(調べます)　……
　4)　テレビを　直して　もらいたいんですが・・・
　　　(すぐ　修理します)　……
　5)　早く　テレビを　届けて　もらいたいんですが・・・
　　　(すぐ　配達します)　……

5.　例：　4時に　帰りたいです
　　　　……すみませんが、4時に　帰らせて　いただけませんか。
　1)　きょう　1日　休みたいです　……
　2)　午後から　病院へ　行きたいです　……
　3)　ファックスを　使います　……
　4)　横浜の　工場を　見学したいです　……
　5)　ラインの　写真を　1枚　撮りたいです　……

練習(れんしゅう) C

1.　A：　リーさんは　①きょう　休(やす)みなんですか。
　　B：　ええ、熱(ねつ)が　あったので、②午後(ごご)から　実習(じっしゅう)を　休(やす)ませました。
　　　　あとで　様子(ようす)を　見(み)に　行(い)く　つもりです。

　　1）　①　もう　帰(かえ)りました　　　②　寮(りょう)へ　帰(かえ)ります
　　2）　①　いません　　　　　　　　②　病院(びょういん)へ　行(い)きます

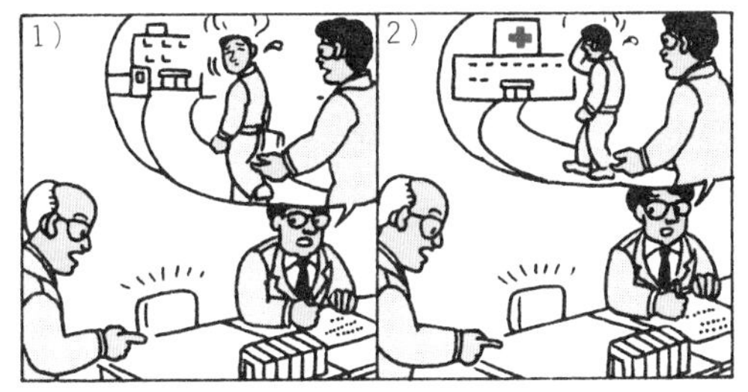

2.　A：　わあ、すごい　ごちそうですね。
　　　　準備(じゅんび)が　大変(たいへん)だったでしょう？
　　B：　いいえ、娘(むすめ)に　手伝(てつだ)わせましたから。

　　1）　材料(ざいりょう)を　買(か)って　来(き)ます
　　2）　少(すこ)し　作(つく)ります

3．　Ａ：　国へ　帰る　準備は　もう　できましたか。
　　　Ｂ：　ええ、できました。
　　　Ａ：　じゃ、荷物を　まとめて　おいて　ください。
　　　　　　会社の　者に　空港まで　運ばせますから。

1）　持って　行きます
2）　送ります

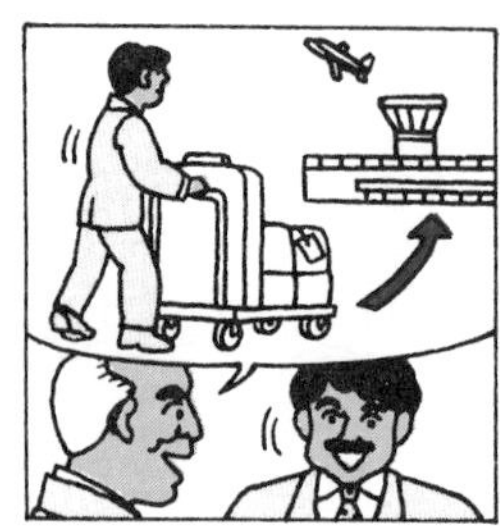

4．　Ａ：　すみませんが、きょう　①1日　休ませて　いただけませんか。
　　　Ｂ：　どう　したんですか。
　　　Ａ：　②ゆうべから　少し　熱が　あるんです。
　　　Ｂ：　わかりました。　お大事に。

1）　①　4時に　帰ります
　　　②　病院へ　薬を　もらいに　行きたいです
2）　①　午後から　休みます
　　　②　おなかの　調子が　悪いです

問題（請配合本書錄帶教材8B進行練習）

1.
1) ____________________
2) ____________________
3) ____________________

2.
1) リーさんは {a. 気分が　悪い / b. 熱が　ある / c. 都合が　悪い} ようなので、

中村さんは　リーさんを　寮へ　（　　　　　）。

2) 道が　（　　　　　）ので、中村さんは　駅まで
{a. 迎えに　行きます。 / b. 息子さんを　迎えに　行かせます。 / c. 息子さんと　いっしょに　迎えに　行きます。}

3) 加藤さんは　娘さんに　（　　　　　）を　{a. 習わせて　います。 / b. 教えて　います。 / c. 歌わせて　います。}

4) 品物は　（　　　　　）までに
{a. わたしが　うちへ　届けます。 / b. 店へ　持って　行かせます。 / c. 店の　者に　うちへ　届けさせます。}

5) （　　　　　）ので、きょうは　{a. 早く　帰ります。 / b. 会社を　休みます。 / c. 会社に　遅れます。}

3.

例：行きます	行かせます	帰ります	
書きます		洗います	
急ぎます		片づけます	
話します		調べます	
持ちます		かけます	
遊びます		します	
休みます		(日本へ) 来ます	

4. 例1： きょうは　いい　天気なので、子ども（　を　）　外で
(遊びます　…　遊ばせます)。

例2： 荷物が　重いので、息子（　に　）　荷物を
(持ちます　…　持たせます)。

1）　部屋が　汚いので、娘（　　　）　部屋を
(掃除します　…　　　　　　)。

2）　台風が　来るので、子ども（　　　）　早く　うちへ
(帰ります　…　　　　　　)。

3）　忙しい　とき、子ども（　　　）　うちの　仕事を
(手伝います　…　　　　　　)。

4）　部長は　都合が　悪いので、代わりに　加藤さん（　　　）　会議に
(出席します　…　　　　　　)。

5. 例： すみませんが、ちょっと　電話を　使わせて　いただけませんか。

1）　体の　調子が　悪いので、＿＿＿＿＿＿＿＿　いただけませんか。

2）　今晩　大使館で　パーティーが　あるので、＿＿＿＿＿＿＿＿
いただけませんか。

3）　この　本は　わたしの　専門と　関係が　あるので、
ちょっと　＿＿＿＿＿＿＿＿　いただけませんか。

4）　すみませんが、あの　ロボットの　写真を　1枚　＿＿＿＿＿＿＿＿
いただけませんか。

6.　例：　洗濯機を　修理して　もらいたいんですが・・・
……じゃ、店の　者を　すぐ　(行きます，行かせます，行って　もらいます)。

1)　一人で　この　荷物を　持って　来たんですか。
……いいえ、友達に　(手伝わせました，手伝って　くれました，手伝って　もらいました)。

2)　もう　遅いですから、そろそろ　失礼します。
……じゃ、息子に　駅まで　(送ります，送らせます，送って　あげます)。

3)　本社へ　行く　道が　わかりますか。
……ええ、加藤さんに　地図を　(書かせました，書いて　いただきました，書いて　くださいました)　から。

4)　車の　生産ラインを　見学させて　いただけませんか。
……じゃ、工場の　者に　(案内します，案内させます，案内して　いただきます)。

7.

12月の　終わりは　日本では　お正月の　準備で　みんな　忙しく　なります。　うちの　中を　全部　掃除しなければ　ならないし、お正月の　ごちそうも　作らなければ　なりませんから。　高橋さんの　うちでも、奥さん　一人では　無理なので、うちの　人　みんなが　手伝います。　学校は　25日ごろから、会社は　29日ごろから　休みに　なります。　それで　奥さんは　子どもには　部屋を　片づけさせたり、窓を　ふかせたり　します。　ご主人には　車で　いっしょに　買い物に　行って　もらいます。　そして　奥さんは　家族の　ために、一生懸命　おいしい　お正月料理を　作ります。

12月31日の　夜は　12時ごろに　なると、近くの　お寺から　鐘の　音が　聞こえます。　その　音を　聞きながら　家族　みんなで　お祝いを　します。

鐘

正しい　ものには　○、正しくない　ものには　×を　入れて　ください。

1)　お正月の　準備は　大変なので、子どもに　うちの　中の　いろいろな　仕事を　手伝わせます。　(　　)

2)　子どもに　お正月料理を　作らせます。　(　　)

3)　ご主人に　買い物を　手伝って　もらいます。　(　　)

4)　12月31日の　夜は　お正月の　準備で　とても　疲れるので、何も　しないで、早く　寝ます。　(　　)

第 49 課

やすみます I （やすむ、やすんで）		睡覺
休みます（休む、休んで）		
かけます［いすに～］ II （かける、かけて）		坐［椅子］
掛けます（掛ける、掛けて）		
もどります I （もどる、もどって）		回來
戻ります（戻る、戻って）		
あいさつします III （～する、～して）		問候
いらっしゃいます I （いらっしゃる、いらっしゃって）		在，去，來（“いる”、“行く”、“来る”的尊敬語）
めしあがります I （めしあがる、めしあがって）		吃，喝（“食べる”、“飲む”的尊敬語）
召し上がります（召し上がる、召し上がって）		
おっしゃいます I （おっしゃる、おっしゃって）		說（“言う”的尊敬語）
なさいます I （なさる、なさって）		做（“する”的尊敬語）
ごらんに　なります		看（“見る”的尊敬語）
ご覧に　なります		
ごぞんじです		知道（“知っている”的尊敬語）
ご存じです		
おじょうず［な］	お上手［な］	高明［的］（“上手”的禮貌語）
おたく	お宅	府上
おくに	お国	貴國
お～		（表示禮貌的接頭詞）
ごかぞく	ご家族	您的家屬
ご～		（表示禮貌的接頭詞）
【あの】　かた	【あの】　方	【那個】人（“人”的尊敬語）
～さま	～様	加在人名後表示尊敬（“～さん”的尊敬語）
かいじょう	会場	會場

～まえ	～前	～之前（用於時間）
～すぎ	～過ぎ	超過～（用於時間）
さいしょに	最初に	最初
さいごに	最後に	最後

＊　＊　＊　＊　＊

しつれいですが、	失礼ですが、	對不起， （向對方詢問時而說的話）
どちらさまですか。	どちら様ですか。	您是哪位？ （有禮貌地詢問對方名字）
おまち　ください。	お待ち　ください。	請等一下。 （有禮貌地請求對方）
おかわり　ありませんか。 お変わり　ありませんか。		別來無恙嗎？ （詢問對方平安、健康）

第49課

文型

1．　社長は　3時に　こちらへ　来られます。
2．　部長は　もう　お帰りに　なりました。
3．　お客様は　ロビーに　いらっしゃいます。

例文

1．　いつ　お国へ　帰られますか。
　　…あさって　帰ります。

2．　すみません。　この　雑誌を　お読みに　なりますか。
　　…いいえ、読みません。　どうぞ。

3．　パーティーの　写真を　ご覧に　なりましたか。
　　…いいえ、まだです。　ぜひ　見せて　ください。

4．　日本語が　お上手ですね。　どのくらい　勉強なさいましたか。
　　…3か月ぐらいです。

5．　あの　方を　ご存じですか。
　　…ええ。　ＡＯＴＳの　田中さんです。

6．　何を　召し上がりますか。
　　…そうですね。　じゃ、てんぷらを　お願いします。

会　話

電話を　かける

ラ　オ：　もしもし、田中さんの　お宅ですか。

田中さんの
奥さん：　はい、そうです。　どちら様ですか。

ラ　オ：　インドの　ラオですが、ご主人は　いらっしゃいますか。

奥さん：　ちょっと　出かけて　います。

ラ　オ：　そうですか。　何時ごろ　お帰りに　なりますか。

奥さん：　すぐ　帰ると　思いますが・・・
あ、ちょっと　お待ち　ください。　今　帰って　来ました。

田　中：　ああ、ラオさん、お待たせしました。
お変わり　ありませんか。

ラ　オ：　ええ、おかげさまで　元気です。
田中さん、あしたの　パーティーに　来て
くださるそうですね。

田　中：　ええ、行きますよ。　ラオさんに　会いたいですから。

ラ　オ：　ありがとう　ございます。　楽しみに　して　います。
じゃ、失礼します。

練習（れんしゅう） A

1.

		尊敬（そんけい）
Ⅰ	かきます	かかれます
	いきます	いかれます
	やすみます	やすまれます
	よびます	よばれます
	かえります	かえられます
	あいます	あわれます
	はなします	はなされます

		尊敬（そんけい）
Ⅱ	かけます	かけられます
	でます	でられます
	おきます	おきられます
	おります	おりられます

		尊敬（そんけい）
Ⅲ	きます	こられます
	します	されます

2. 社長（しゃちょう）は
   - さっき　でかけられました。
   - 10時（じ）に　こられます。
   - あした　大阪（おおさか）へ　しゅっちょうされます。

3. 部長（ぶちょう）は
   - この　レポート　を　お　よみ　に　なりました。
   - ほんしゃに　でんわ　を　お　かけ　に　なりました。
   - かとうさん　を　お　よび　に　なりました。

4. 社長（しゃちょう）は
   - あちらに　いらっしゃいます。
   - そう　おっしゃいました。
   - この　話（はなし）を　ごぞんじです。

練習 B

1. 例： ちょっと 出かけました（部長）

　　……部長は ちょっと 出かけられました。

　1） 新しい 工場に ついて 話します（社長） ……

　2） パーティーに 出席します（田中さん） ……

　3） たった今 帰りました（お客様） ……

　4） この 本を 書きました（鈴木先生） ……

2. 例： どんな お土産を 買われましたか。（日本人形）

　　……日本人形を 買いました。

　1） どちらで 日本語を 習われましたか。（研修センター） ……

　2） いつ 荷物を 送られましたか。（おととい） ……

　3） いつ お国へ 帰られますか。（あさって） ……

　4） 何時の 飛行機に 乗られますか。（夕方 6時の 飛行機） ……

3. 例： この 新聞を 読みますか

　　……この 新聞を お読みに なりますか。

　1） たばこを 吸いますか ……

　2） 使い方が わかりますか ……

　3） 部長は すぐ 戻りますか ……

　4） 田中さんに 会いましたか ……

4．　例：　いつ　この　カメラを　お買いに　なりましたか。（おととい）

……おととい　買いました。

1）　どのくらい　お待ちに　なりましたか。（10分ぐらい）　……

2）　ご主人は　何時ごろ　お出かけに　なりましたか。（12時前に）　……

3）　何時ごろ　お宅へ　お帰りに　なりますか。（夜　10時ごろ）　……

4）　毎晩　何時ごろ　お休みに　なりますか。（11時過ぎに）　……

5．　例：　あした　東京へ　行きますか

……あした　東京へ　いらっしゃいますか。

1）　昼ごはんは　もう　食べましたか　……

2）　最初に　社長が　あいさつしますか　……

3）　あの　映画は　もう　見ましたか　……

4）　田中さんを　知って　いますか　……

6．　例：　日本で　何を　しますか　……日本で　何を　なさいますか。

1）　いつ　日本へ　来ましたか　……

2）　名前は　何と　言いますか　……

3）　家族は　どこに　住んで　いますか　……

4）　いつ　結婚しましたか　……

練習　C

1.　A：　いつ　お国へ　帰られますか。

　　B：　あさって　帰ります。

　　A：　①荷物は　もう　②まとめられましたか。

　　B：　はい、もう　②まとめました。

1）　①　お土産　　②　買います

2）　①　荷物　　②　送ります

2.　A：　すみません。　この　雑誌を　お読みに　なりますか。

　　B：　いいえ、読みません。　どうぞ。

1）　ここに　掛けます

2）　この　灰皿を　使います

3.　A：　どちらから　いらっしゃいましたか。

　　B：　インドの　デリーです。

　　A：　そうですか。　日本語が　お上手ですね。

　　　　今まで　どのくらい　①勉強なさいましたか。

　　B：　②3か月ぐらいです。

1）　①　日本に　います　　②　1年

2）　①　実習しました　　②　6か月

4.　A：　失礼ですが、お名前は　何と　おっしゃいますか。

　　B：　AOTSの　田中です。

　　A：　田中様ですね。

　　　　じゃ、どうぞ　こちらで　お待ちに　なって　ください。

1）　こちらに　お掛けに　なります

2）　会場の　方へ　いらっしゃいます

問題 （請配合本書錄帶教材８Ｂ進行練習）

1\. 1）＿＿＿＿＿＿＿＿＿＿＿＿＿＿＿＿＿＿

2）＿＿＿＿＿＿＿＿＿＿＿＿＿＿＿＿＿＿

3）＿＿＿＿＿＿＿＿＿＿＿＿＿＿＿＿＿＿

4）＿＿＿＿＿＿＿＿＿＿＿＿＿＿＿＿＿＿

5）＿＿＿＿＿＿＿＿＿＿＿＿＿＿＿＿＿＿

2\. 1）部長は　ラオさんの　実習の　発表を　（　　　　　）ました。

発表の　内容は　{ a．とても　よかったです。 / b．とても　簡単でした。 / c．とても　難しかったです。 }

2）リーさんが　遅れたので、田中さんは　（　　　　　）ぐらい

{ a．乗りました。 / b．待ちました。 / c．立ちました。 }

3）ラオさんは　インドの　デリーから　{ a．行きました。 / b．来ました。 / c．いました。 }

4）これは　（　　　　　）の　写真です。

ラオさんの　隣に　{ a．立って　いる / b．座って　いる / c．休んで　いる }　人は

部長の　森さんです。

5）田中さんが　加藤さんに　電話した　とき、

加藤さんは　{ a．いました。 / b．いませんでした。 / c．うちへ　帰りました。 }

加藤さんは　（　　　　　）ごろ　会社へ　戻ります。

3.

例：　書きます	書かれます	出かけます	
話します		起きます	
帰ります		降ります	
行きます		(日本へ)来ます	
休みます		参加します	
習います		出席します	

4.　例：　パーティーに　出席しますか　(社長)
　　　　……社長は　パーティーに　出席されますか。
　1)　いつ　こちらへ　来ましたか　(社長)
　　　　……
　2)　もう　出かけましたか　(部長)
　　　　……
　3)　どんな　ことを　話しましたか　(課長)
　　　　……
　4)　何時ごろ　会社へ　戻りますか　(加藤さん)
　　　　……

5.　例：　この　本は　だれが　書きましたか。(鈴木先生)
　　　　……鈴木先生が　お書きに　なりました。
　1)　パーティーの　とき、だれが　最初に　話しますか。(社長)
　　　　……
　2)　ラオさんの　お土産は　だれが　買いましたか。(加藤さん)
　　　　……
　3)　この　車には　だれが　乗りますか。(お客様)
　　　　……
　4)　実習の　スケジュールは　だれが　決めますか。(部長)
　　　　……

6.　例：　いつ　日本へ　来ましたか。……いつ　日本へ　いらっしゃいましたか。
　1)　何を　食べますか。　……
　2)　あの　映画は　もう　見ましたか。　……
　3)　いつ　結婚しましたか。　……
　4)　今　何を　して　いますか。　……

7. 例：あした　どこへ　行きますか。

……あした　どちらへ　いらっしゃいますか。

1）名前は　何と　言いますか。

……

2）客は　どこに　いますか。

……

3）あの　人の　うちを　知って　いますか。

……

4）日本語が　上手ですね。　どのくらい　勉強しましたか。

……

8. 例：A：ラオさんは　結婚して　いますか。

(結婚して　いらっしゃいますか)

B：いいえ、独身です。

1）A：先生は　いますか。

(　　　　　　　　)

B：いいえ、ちょっと　出かけました。　すぐ　戻ると　思います。

(　　　　　　　　)　(　　　　　　　　)

2）A：部長は　いつ　大阪へ　出張しますか。

(　　　　　　　　)

B：あさってだと　言って　いました。

(　　　　　　　　)

A：いつ　帰りますか。

(　　　　　　　　)

B：金曜日です。

3）A：部長、あした　パーティーが　あるのを　知って　いますか。

(　　　　　　　　)

B：ええ、きのう　聞きました。

4）A：疲れましたか。

(　　　　　　　　)

B：ええ、少し。

A：じゃ、こちらで　少し　休んで　ください。

(　　　　　　　　)

B：はい、ありがとう　ございます。

第 50 課

まいります Ⅰ （まいる、まいって） 参ります（参る、参って）		去，來（“行く”、“来る”的謙語）
おります Ⅰ （おる、おって）		在（“いる”的謙語）
いただきます Ⅰ （いただく、いただいて）		吃，喝，領受（“食べる”、“飲む”、“もらう”的謙語）
もうします Ⅰ （もうす、もうして） 申します（申す、申して）		說（“言う”的謙語）
いたします Ⅰ （いたす、いたして）		做（“する”的謙語）
はいけんします Ⅲ （～する、～して） 拝見します		看（“見る”的謙語）
ぞんじます Ⅲ （ぞんずる、ぞんじて） 存じます（存ずる、存じて）		知道（“知る”的謙語）
うかがいます Ⅰ （うかがう、うかがって） 伺います（伺う、伺って）		問，拜訪（“聞く”、“訪問する”的謙語）
ございます Ⅰ （ござる、ござって）		有（“ある”的禮貌說法）
～で　ございます		是（“です”的禮貌說法）
おいそがしい	お忙しい	你忙
わたくし	私	我（“わたし”的謙語）
みなさま	皆様	各位

そうべつかい	送別会	歡送會
ごしんせつ	ご親切	(他人)親切
ぶじに	無事に	平安地
では		那麼(轉到下一件事)
それでは		那麼 (讓事情告一段落)

＊　＊　＊　＊　＊

おいそがしい　ところ お忙しい　ところ	您正忙著 (對方特地抽出時間，表示感謝)
ごしゅっせき　くださいまして、 ありがとう　ございます。 ご出席　くださいまして、 ありがとう　ございます。	承蒙光臨，謝謝。
いい　べんきょうに　なりました。 いい　勉強に　なりました。	學到不少東西。
【けいけん】を　いかして 【経験】を　生かして	把【經驗】活用

第50課

文型

1. わたしが 社長の 荷物を お持ちします。
2. わたしは 日本で 1年 実習いたしました。

例文

1. お忙しそうですね。 お手伝いしましょうか。
　…すみません。 お願いします。

2. バンコクへ ぜひ いらっしゃって ください。
　いろいろな 所を ご案内します。
　…はい、ありがとう ございます。

3. お名前は 何と おっしゃいますか。
　…リーと 申します。 中国から 参りました。

4. 今晩 お宅に いらっしゃいますか。
　…はい、おります。

5. 田中さんの 住所を ご存じですか。
　…電話番号は 存じて おりますが、住所は 存じません。

6. 社長が 書かれた 絵を ご覧に なりましたか。
　…はい、拝見しました。

7. あしたの 予定を お聞きに なりましたか。
　…はい、加藤さんから 伺いました。

8. 何も ございませんが、どうぞ 召し上がって ください。
　…はい。 いただきます。

会　話

送別会

加　藤：　それでは、これから　ラオさんの　送別会を　始めたいと
思います。
皆様、お忙しい　ところ、ご出席くださいまして、
ありがとう　ございます。
では、まず　始めに　ラオさんに　ごあいさつを
お願いします。

ラ　オ：　皆さん、こんばんは。
私は　去年の　4月に　日本へ　参りましたが、
おかげさまで　無事に　実習が　終わりました。
とても　いい　勉強に　なりました。
国へ　帰っても、この　経験を　生かして、頑張りたいと
思います。
皆様の　ご親切は　忘れません。
ほんとうに　ありがとう　ございました。

練習(れんしゅう)　A

1.　わたしが　にもつ／タクシー／でんわばんごう　を　お　もち／よび／しらべ　します。

2.　わたしが　バンコク／よてい／つかいかた　を　ご　あんない／れんらく／せつめい　します。

3.　わたしは　インドから／1年(ねん)　日本(にほん)に／東京電気(とうきょうでんき)で　まいりました。／おりました。／じっしゅういたしました。

50課

練習　B

1.　例：　社長の　荷物を　持ちます

　　　　……わたしが　社長の　荷物を　お持ちします。

　1）　タクシーを　呼びます　……

　2）　空港まで　送ります　……

　3）　駅で　部長を　待ちます　……

　4）　部長に　来週の　予定を　聞きます　……

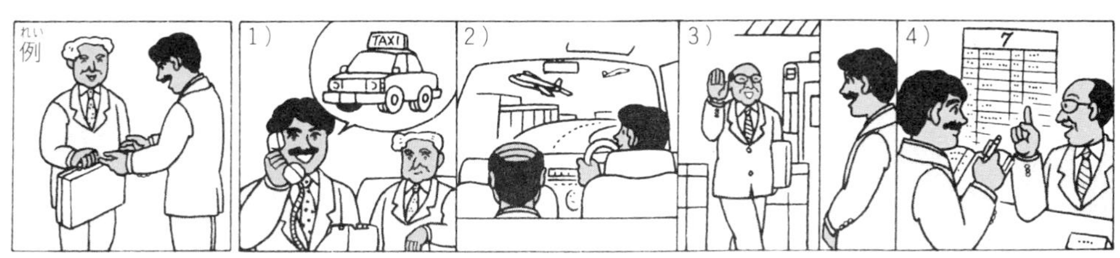

2.　例：　町を　案内します

　　　　……わたしが　町を　ご案内します。

　1）　皆様に　あいさつします　……

　2）　お客様に　使い方を　説明します　……

　3）　部長に　予定を　連絡します　……

　4）　部長に　田中さんを　紹介します　……

3.　例：　サンプルを　見せて　ください。

　　　　……はい。　すぐ　お見せします。

　1）　カタログを　送って　ください。　……

　2）　早く　荷物を　届けて　ください。　……

　3）　タクシーを　呼んで　ください。　……

　4）　あしたの　予定を　知らせて　ください。　……

4.　例(れい)：　あした　東京(とうきょう)へ　行(い)きます　……あした　東京(とうきょう)へ　参(まい)ります。

1）　あした　うちに　います　……

2）　先生(せんせい)の　お手紙(てがみ)を　見(み)ました　……

3）　課長(かちょう)から　お話(はなし)を　聞(き)きました　……

4）　部長(ぶちょう)に　お土産(みやげ)を　もらいました　……

5.　例(れい)：　どちらから　いらっしゃいましたか。（中国(ちゅうごく)）
……中国(ちゅうごく)から　参(まい)りました。

1）　お名前(なまえ)は　何(なん)と　おっしゃいますか。（リー）　……

2）　ご家族(かぞく)は　どちらに　住(す)んで　いらっしゃいますか。（タイの　バンコク）
……

3）　社長(しゃちょう)が　書(か)かれた　絵(え)を　ご覧(らん)に　なりましたか。（はい、もう）
……

4）　高橋(たかはし)さんの　奥(おく)さんを　ご存(ぞん)じですか。（はい）　……

6.　例(れい)：　6時(じ)までに　いらっしゃって　ください。（はい、必(かなら)ず　行(い)きます）
……はい、必(かなら)ず　参(まい)ります。

1）　パーティーに　ぜひ　出席(しゅっせき)なさって　ください。（はい、出席(しゅっせき)します）
……

2）　どうぞ　遠慮(えんりょ)なく　召(め)し上(あ)がって　ください。（はい、食(た)べます）
……

3）　もう　少(すこ)し　お待(ま)ちに　なって　ください。（じゃ、ロビーに　います）
……

4）　もう　一度(いちど)　お名前(なまえ)を　おっしゃって　くださいませんか。
（東京電気(とうきょうでんき)の　加藤(かとう)と　言(い)います）　……

練習　C

1.　A：　あ、雨が　降って　いますね。
　　B：　傘を　お貸ししましょうか。
　　A：　すみません。　お願いします。

　　　1）　駅まで　送ります
　　　2）　タクシーを　呼びます

2.　A：　①大阪城へ　いらっしゃった　ことが　ありますか。
　　B：　いいえ。
　　A：　では、今度　わたしが　②ご案内します。

　　　1）　①　歌舞伎を　ご覧に　なります　　　　②　招待します
　　　2）　①　吉田さんに　お会いに　なります　　②　紹介します

3.　A：　はい、東京電気(とうきょうでんき)で　ございます。

　　B：　田中(たなか)と　申(もう)しますが、加藤(かとう)さんは　いらっしゃいますか。

　　A：　加藤(かとう)は　今(いま)　出(で)かけて　おりますが・・・

　　B：　そうですか。　じゃ、また　おかけします。

1）　大阪(おおさか)へ　出張(しゅっちょう)して　います

2）　きょうは　休(やす)んで　います

4.　A：　①田中(たなか)さんを　ご存(ぞん)じですか。

　　B：　はい、存(ぞん)じて　おります。

　　　　この間(あいだ)　②センターで　お会(あ)いしました。

1）　①　田中(たなか)さんの　奥(おく)さん

　　　②　パーティーで　お話(はな)ししました

2）　①　田中(たなか)さんの　お宅(たく)

　　　②　お宅(たく)へ　伺(うかが)いました

問題（請配合本書錄帶教材8B進行練習）

1\. 1) ＿＿＿＿＿＿＿＿＿＿
2) ＿＿＿＿＿＿＿＿＿＿
3) ＿＿＿＿＿＿＿＿＿＿
4) ＿＿＿＿＿＿＿＿＿＿
5) ＿＿＿＿＿＿＿＿＿＿

2\. 1) 雨が　降って　いますから、

わたしの　（　　　　　）を ｛a．持ちます。 b．貸します。 c．借ります。｝

2) 田中さんが　（　　　　　）へ　来たら、

わたしが ｛a．案内します。 b．紹介します。 c．招待します。｝

3) ナロンさんは　（　　　　　）　タイへ　帰りますが、

帰る　まえに、｛a．センターに　電話したい b．センターへ　行きたい c．センターに　泊まりたい｝と　思って　います。

4) 森さんは　（　　　　　）を ｛a．知って　います。 b．知りません。 c．存じて　おります。｝

5) 田中さんは　今　うちに ｛a．います b．いません c．帰りました｝から、

また　あとで　（　　　　　）。

3． 例： だれか 先生の かばんを 持って ください。
……わたしが お持ちします。
1） だれか パーティーの 準備を 手伝って ください。
……
2） だれか 社長を 駅まで 車で 送って ください。
……
3） だれか この 書類を 部長に 渡して ください。
……
4） お客様が お帰りに なるので、だれか タクシーを 呼んで ください。
……

4． 例： パーティーで 最初に わたしが （ごあいさつします）。
1） わたしが この 機械の 使い方を （　　　　　　　　　）。
2） ちょっと （　　　　　　　　　）。 こちらは 東京電気の 加藤さんです。
3） 加藤さんが インドへ いらっしゃったら、わたしが 町を （　　　　　　　　　）。
4） わたしが 結婚する ときは、先生を 結婚式に （　　　　　　　　　）。

5． 例： 来週 東京へ 行きます。 ……来週 東京へ 参ります。
1） わたしは リーと 言います。 ……
2） 部長に 日本人形を もらいました。 ……
3） あしたの 午後 日本を 出発します。 ……
4） 鈴木先生を よく 知って います。 ……

6． 例： 晩ごはんは もう 召し上がりましたか。（はい）
……はい、いただきました。
1） パスポートを 持って いらっしゃいますか。（はい）
……
2） あの 方を ご存じですか。（いいえ）
……
3） 箱根で 撮った 写真を ご覧に なりましたか。（はい）
……
4） あしたの 予定を お聞きに なりましたか。（はい）
……

7．　例：　もしもし、田中さんの　（　お宅　）ですか。

1）　A：　もしもし、東京電気で　（　　　　　）。

B：　田中と　（　　　　　）が、加藤さんは　（　　　　　）か。

A：　申し訳　ありません。　加藤は　今　大阪へ　出張して　（　　　　　）。

B：　いつ　（　　　　　）か。

A：　あした　戻ります。

B：　じゃ、また　あした　（　　　　　）。

2）　A：　ああ、田中さん、しばらくです。　ラオです。

B：　ああ、ラオさん、お元気ですか。

A：　ええ、おかげさまで、元気です。
田中さんは　あしたの　パーティーに　（　　　　　）か。

B：　ええ、（　　　　　）。

A：　じゃ、5時に　ロビーで　（　　　　　）して　います。

B：　わかりました。

A：　では、失礼します。

8．　例：　皆さん、<u>こんばんは</u>。

わたしは　ラオと　＿＿＿＿＿＿＿。　インドから　＿＿＿＿＿＿＿。

わたしは　センターで　5週間　日本語を　勉強＿＿＿＿＿＿＿。

それから　東京電気で　6か月　コンピューターを　実習＿＿＿＿＿＿＿。

実習は　とても　＿＿＿＿＿＿＿に　なりました。　国へ　帰っても、

この　＿＿＿＿＿＿＿、頑張りたいと　思います。　皆さんの

＿＿＿＿＿＿＿は　忘れません。　ほんとうに　ありがとう　ございました。

復習　J

1.　例：　鈴木先生（　に　）　日本語を　教えて　いただきました。

　1）　娘（　　　）　人形を　買って　やりました。

　2）　東京タワーへ　行きたいんです（　　　）、道を　教えて　いただけませんか。

　3）　来週の　発表（　　　）　ために、いろいろ　準備して　います。

　4）　近くに　スーパーが　あって、買い物（　　　）　便利です。

　5）　この　ドリルは　板（　　　）　穴を　あけるの（　　　）　使います。

　6）　棚から　荷物（　　　）　落ちそうです。

　7）　コピーの　大きさを　2倍（　　　）　します。

　8）　ライン（　　　）　問題が　起きた　場合は、ランプが　赤（　　　）　変わります。

　9）　雨（　　　）　場合は、ピクニックを　来週（　　　）　します。

　10）　地図を　持って　行ったのに、道（　　　）　迷って　しまいました。

　11）　この　車（　　　）　修理した　ばかりなのに、もう　故障して　しまいました。

　12）　部長は　加藤さん（　　　）　大阪へ　出張させました。

　13）　わたしは　娘（　　　）　料理を　手伝わせます。

　14）　わたしは　田中（　　　）　申します。

　15）　先生が　バンコクへ　いらっしゃったら、わたし（　　　）　ご案内します。

2.

	尊敬	謙譲
例：　います	いらっしゃいます	おります
行きます・来ます		
	おっしゃいます	
食べます・飲みます		いただきます
	なさいます	
見ます	ご覧に　なります	
知って　います		存じて　おります
	お聞きに　なります	

J

3．　正(ただ)しい　ものを　選(えら)んで　ください。

1）　この　ビデオの　配達(はいたつ)を　お願(ねが)いできますか。

…はい、{ a．かしこまりました。 / b．そのとおりです。 / c．ご苦労(くろう)さまでした。 }

2）　薬(くすり)を　飲(の)んで　いるのに、まだ　かぜが　治(なお)らないんです。

…{ a．それは　いけませんね。 / b．それほどでも　ありません。 / c．しかたが　ありませんね。 }　どうぞ　お大事(だいじ)に。

3）　この　本(ほん)、どうも　ありがとう　ございました。　わたしの　専門(せんもん)と
関係(かんけい)が　あったので、{ a．とても　苦労(くろう)しました。 / b．とても　助(たす)かりました。 / c．お待(ま)たせしました。 }

…それは　よかったですね。

4）　しばらくですね。　お変(か)わり　ありませんか。

…ええ、{ a．お疲(つか)れさま / b．おかげさまで / c．こちらこそ }、元気(げんき)です。

5）　実習(じっしゅう)は　どうでしたか。

…{ a．お疲(つか)れさまでした。 / b．楽(たの)しみに　して　います。 / c．とても　いい　勉強(べんきょう)に　なりました。 }
この　経験(けいけん)を　生(い)かして、これからも　頑張(がんば)りたいと　思(おも)います。

復習　K

1.（　　）の　中に　「読む」を　いろいろな　形に　変えて、入れて　ください。

例：　わたしは　歴史の　本を　（　読み　）たいです。

1）　暇な　とき、音楽を　聞いたり、本を　（　　　　）り　して　います。

2）　新聞を　（　　　　）ながら　ごはんを　食べます。

3）　会議の　まえに、この　資料を　よく　（　　　　）　おいて　ください。

4）　この　雑誌は　まだ　（　　　　）　いません。
　　今晩　（　　　　）と　思って　います。

5）　ひらがなは　読めますが、かたかなは　少ししか　（　　　　）。

6）　日本の　新聞が　少し　（　　　　）ように　なりました。

7）　この　漢字は　何と　（　　　　）んですか。

8）　この　本は　いろいろな　国で　（　　　　）　います。

9）　わたしは　本を　（　　　　）のが　好きです。

10）　手紙を　（　　　　）、安心しました。

11）　この　辞書は　字が　小さくて、（　　　　）にくいです。

12）　本を　（　　　　）すぎて、目が　痛く　なりました。

13）　けさの　新聞は　もう　読みましたか。
　　…いいえ、これから　（　　　　）　ところです。

14）　子どもに　いい　本を　たくさん　（　　　　）せます。

15）　その　本を　（　　　　）ら、わたしにも　（　　　　）せて
　　いただけませんか。

16）　説明書を　（　　　　）ば、使い方が　わかります。

17）　難しくて、いくら　（　　　　）も、意味が　わかりません。

18）　寝る　まえに、いつも　子どもに　本を　（　　　　）　やります。

19）　きのう　（　　　　）　本は　とても　おもしろかったです。

20）　部長は　ラオさんの　レポートを　（　　　　）れましたか。

21）　先生は　もう　この　本を　お（　　　　）に　なりましたか。

2．例：　あしたは　たぶん　（雨です　…　　雨　）でしょう。

1）　わたしは　カラオケが　好きでは　ありません。
　　歌が　（下手です　…　　　　）んです。

2）　彼は　きのうから　会社を　休んで　います。
　　（病気です　…　　　　）かも　しれません。

3）　値段が　（安いです　…　　　　）ば、この　テレビを　買います。

4）　操作が　（簡単です　…　　　　）なら、この　ビデオカメラを　買います。

5） この 荷物は （重いです … ）、持てません。

6） （高いです … ）が どのくらい あるか、測って みて ください。

7） あ、こっちの りんごの ほうが 赤くて、
（おいしいです … ）そうですよ。

8） こちらの ビデオカメラは いかがですか。
…ああ、操作が （簡単です … ）そうですね。 これを ください。

9） この ズボンは （長いです … ）すぎますから、もっと
（短いです … ） して ください。

10） うるさいですから、（静かです … ） して ください。

11） ナロンさんの 話に よると、タイは きれいな
（国です … ） そうです。

12） リーさんは このごろ 仕事が （暇です … ）ようです。

13） あしたは （日曜日です … ）のに、会社へ 行かなければ
なりません。

14） この 店は 種類も （多いです … ）し、品物も
（きれいです … ）し、ここで 買いましょう。

K

3．正しい ものを 選んで ください。

1） 会社に 連絡したいので、
ちょっと 電話を
- a．使って くださいませんか。
- b．使って いただけませんか。
- c．使わせて いただけませんか。

2） この 料理は 辛すぎて、
- a．食べません。
- b．食べられません。
- c．食べすぎました。

3） 天気予報に よると、あしたは 雨が
- a．降りそうです。
- b．降るそうです。
- c．降ると 思います。

4） 向こうに パトカーが 止まって います。
どうも
- a．事故だそうです。
- b．事故のようです。
- c．事故でしょう。

5） バスが　なかなか　来なかったので、

a．会社に　遅れて　しまいました。
b．タクシーで　行った　ほうが　いいです。
c．いつ　来るか、わかりません。

6） 地震が　起きた　場合は、

a．うちが　壊れました。
b．びっくりしました。
c．すぐ　火を　消して　ください。

7） この　いすは　ペンキを　塗った　ばかりですから、

a．座っても　いいです。
b．座るように　して　ください。
c．座らないように　して　ください。

8） 自動販売機に　お金を　入れたのに、

たばこが

a．出ます。
b．出ません。
c．出て　しまいました。

9） 遅く　なりましたから、そろそろ　失礼します。

…そうですか。　じゃ、息子に　駅まで

a．送られます。
b．送らせます。
c．送って　やります。

10） 先生、その　荷物は　重そうですね。

わたしが

a．お持ちします。
b．お持ちに　なります。
c．持たせます。

4. aと　bが　だいたい　同じ　意味に　なるように、(　　　)に　ことばを　入れて　ください。

例：　a：　あしたは　たぶん　いい　天気だと　思います。

　　　b：　あしたは　たぶん　(　いい　天気でしょう　)。

1)　a：　夏休みは　軽井沢へ　行く　つもりです。

　　b：　夏休みは　軽井沢へ　(　　　　　　　　　)と　思って　います。

2)　a：　わたしは　まだ　上手に　日本語を　話す　ことが　できません。

　　b：　わたしは　まだ　上手に　(　　　　　　　　　)。

3)　a：　この　レストランは　値段が　安くて、店の　人が　親切なので、いつも　ここで　食べて　います。

　　b：　この　レストランは　(　　　　　　　　　)し、(　　　　　　　　　)し、いつも　ここで　食べて　います。

4)　a：　モーターの　音が　おかしいです。　故障かも　しれません。

　　b：　モーターの　音が　おかしいです。(　　　　　　　　　)ようです。

5)　a：　仕事が　終わってから、友達と　食事に　行きます。

　　b：　仕事が　(　　　　　　　　　)あとで、友達と　食事に　行きます。

6)　a：　天気が　よかったら、ここから　富士山が　見えます。

　　b：　天気が　(　　　　　　　　　)ば、ここから　富士山が　見えます。

7)　a：　会社に　遅れる　ときは、必ず　連絡して　ください。

　　b：　会社に　遅れる　ときは、必ず　(　　　　　　　　　)ように　して　ください。

8)　a：　わたしは　部長に　寮まで　車で　送って　いただきました。

　　b：　部長は　わたしを　寮まで　車で　(　　　　　　　　　)。

9)　a：　熱が　ありますから、早く　帰っても　いいですか。

　　b：　熱が　(　　　　　　　　　)ので、早く　(　　　　　　　　　)いただけませんか。

10)　a：　社長は　もう　お宅へ　帰られました。

　　b：　社長は　もう　お宅へ　お(　　　　　　　　　)に　なりました。

K

助詞

1．[は]

1）　この　いすは　壊れて　います。　(第29課)

2）　レポートは　もう　書きましたか。

…いいえ、まだ　書いて　いません。　(31)

3）　工場の　中では　歩きながら　たばこを　吸わないで　ください。　(28)

4）　ひらがなは　書けますが、かたかなは　書けません。　(27)

2．[も]

荷物も　多いし、雨も　降って　いるし、タクシーで　帰ります。　(28)

3．[の]

1）　出張は　1週間ぐらいの　予定です。　(31)

2）　マニュアルの　とおりに、機械を　操作して　ください。　(34)

3）　毎日　作業の　あとで、ミーティングを　して　います。　(34)

4）　家族の　ために、一生懸命　働きます。　(42)

5）　雨の　場合は、ピクニックを　来週に　します。　(45)

6）　向こうに　パトカーが　止まって　います。　どうも　事故のようです。

(47)

4．[を]

1）　加藤さんは　わたしを　うちへ　招待して　くださいました。　(41)

2）　部長は　加藤さんを　大阪へ　出張させました。　(48)

3）　テレビの　音を　大きく　して　ください。　(44)

4）　12時を　過ぎたのに、ナロンさんは　まだ　帰って　来ません。　(45)

5．[が]

1）　わたしは　日本語が　少し　話せます。　(27)

2）　仕事が　忙しくて、どこも　行けません。　(39)

3）　池田さんは　ワープロを　打つのが　速いです。　(38)

4）　部屋から　海が　見えます。　(27)

5）　駅の　近くに　スーパーが　できました。　(27)

6）　電気が　ついて　います。　(29)

7）　あした　家内が　日本へ　来ます。　(31)

8）　あそこに　ポスターが　はって　あります。　(30)

9）　ここで　車の　ボディーが　溶接されます。　(37)

10）　わたしが　やりますから、そのままに　して　おいて　ください。　(30)

11）　道が　わからないんですが、教えて　くださいませんか。　(26)

6．［に］

1）　彼に　この　仕事を　頼みます。　(28)

2）　わたしは　弟に　カメラを　壊されました。　(37)

3）　わたしは　娘に　ピアノを　習わせます。　(48)

4）　石川さんに　男の　子が　生まれました。　(38)

5）　飛行機は　6時に　日本に　着きます。　(27)

6）　タクシーに　カメラを　忘れて　しまいました。　(29)

7）　壁に　絵が　掛けて　あります。　(30)

8）　コインロッカーに　荷物を　預けて　来ます。　(43)

9）　この　機械は　板に　穴を　あけるのに　使います。　(42)

10）　ラインに　問題が　起きた　場合は、すぐ　スイッチを　切って
ください。　(45)

11）　会議の　時間に　遅れました。　(26)

12）　雨の　場合は、ピクニックを　来週に　します。　(45)

13）　体に　悪いですから、たばこを　やめた　ほうが　いいです。　(32)

14）　わたしの　うちは　近くに　店が　あって、買い物に　便利です。　(42)

15）　やっと　日本の　生活に　慣れました。　(36)

16）　日本語で　質問に　答えるのは　難しいです。　(38)

17）　毎日　電車で　会社に　通います。　(38)

18）　地図を　持って　行ったのに、道に　迷って　しまいました。　(46)

19）　この　工場では　1日に　1,500台　車が　生産されて　います。　(37)

20）　この　テーブルには　新しい　材料が　使われて　います。　(44)

7．［で］

1）　スポーツセンターまで　5，6分で　行けます。　(27)

2）　きょうの　実習は　これで　終わります。　(30)

3）　エンジンを　組み立てました。　これで　いいですか。　(34)

4）　すみませんが、もう　少し　大きい　声で　言って　ください。　(27)

5）　病気で　会社を　休みました。　(39)

8. [と]

1) あした 大阪城へ 行こうと 思って います。 (31)

2) あそこに 「止まれ」と 書いて あります。 (33)

3) この 実習は わたしの 専門と 関係が ありません。 (40)

9. [から]

1) お酒は 米から 造られます。 (37)

2) さっき 本社の 吉田さんから 電話が ありました。 (33)

10. [か]

1) 会議は 何時に 終わるか、わかりません。 (40)

2) パーティーに 来られるか どうか、知らせて ください。 (40)

3) 子どもに 時計か ラジカセを 買って やりたいです。 (41)

フォームの　使い方

1. [ます形]

ます形＋ながら～	音楽を　聞きながら　コーヒーを　飲みます。	(第28課)
ます形＋やすいです	この　辞書は　字が　大きくて、見やすいです。	(44)
ます形＋にくいです	熱に　強くて、色が　変わりにくいです。	(44)
お＋ます形＋に　なります	部長は　もう　お帰りに　なりました。	(49)
お＋ます形＋します	わたしが　先生の　荷物を　お持ちします。	(50)

2. [て形]

て形＋います	暇な　とき、いつも　テレビを　見て　います。	(28)
	電気が　ついて　います。	(29)
て形＋いません	レポートは　まだ　まとめて　いません。	(31)
て形＋しまいました	タクシーに　カメラを　忘れて　しまいました。	(29)
て形＋あります	壁に　絵が　掛けて　あります。	(30)
て形＋おきます	旅行に　行く　まえに、切符を　買って　おきます。	(30)
て形＋くれ	この　荷物は　邪魔だから、片づけて　くれ。	(33)
て形＋みます	日本の　お酒を　飲んで　みます。	(40)
て形＋いただきます	わたしは　鈴木先生に　日本語を　教えて　いただきました。	(41)
て形＋くださいます	奥さんは　わたしに　日本料理を　作って　くださいました。	(41)
て形＋やります	わたしは　娘に　誕生日の　プレゼントを　送って　やりました。	(41)
て形＋くださいませんか	道が　わからないんですが、教えて　くださいませんか。	(26)
て形＋いただけませんか	手紙の　書き方を　教えて　いただけませんか。	(41)
て形＋きます	ちょっと　たばこを　買って　来ます。	(43)

3. [ない形]

ない形＋ないで、～	英語を　使わないで、日本語だけで　実習します。	(34)

4．［辞書形］

文型	例文	課
辞書形＋つもりです	来年　結婚する　つもりです。	(31)
辞書形＋な	スイッチに　触るな。	(33)
辞書形＋ように　なりました	日本語が　話せるように　なりました。	(36)
辞書形＋のは～	みんなで　食事するのは　楽しいです。	(38)
辞書形＋のが～	わたしは　本を　読むのが　好きです。	(38)
辞書形＋ために、～	うちを　買う　ために、お金を ためて　います。	(42)
辞書形＋のに～	この　ドライバーは　小さい　ねじを 締めるのに　使います。	(42)

5．［た形］

文型	例文	課
た形＋とおりに、～	今　わたしが　やった　とおりに、 エンジンを　組み立てて　ください。	(34)
た形＋あとで、～	仕事が　終わった　あとで、会社の 人と　食事に　行きます。	(34)
た形＋ばかりです	彼は　先週　日本へ　来た　ばかりです。	(46)

6．［意向形］

文型	例文	課
意向形＋と　おもって　います	あした　大阪城へ　行こうと　思って います。	(31)

7．

文型	例文	課
辞書形 ない形　～ない　｝＋ように、～	日本語が　上手に　なるように、 一生懸命　勉強します。	(36)
	忘れないように、メモを　取って ください。	(36)
辞書形 ない形　～ない　｝＋ように　して ください	必ず　時間を　守るように　して ください。	(36)
	時間に　遅れないように　して ください。	(36)

8．

文型	例文	課
辞書形 て形＋いる　｝＋ところです た形	ちょうど　今から　映画が　始まる ところです。	(46)
	今　料理を　作って　いる　ところです。	(46)
	たった　今　仕事が　終わった　ところです。	(46)

9. **た形** / **ない形** ～ない } ＋ほうが いいです

すぐ 病院へ 行った ほうが いいです。(32)
きょうは おふろに 入らない ほうが いいです。(32)

10. **て形** / **ない形** ～ないで } ＋～

マニュアルを 見て 操作します。(34)
財布を 持たないで 出かけて しまいました。(34)

11. [**普通形**]

普通形＋し、～

荷物も 多いし、雨も 降って いるし、タクシーで 帰ります。(28)

普通形＋と いって いました

吉田さんは 会議の 資料を 送って くれと 言って いました。(33)

普通形＋そうです

天気予報に よると、あしたは 雨が 降るそうです。(47)

動詞 **普通形**＋のを～

木村さんが 結婚したのを 知って いますか。(38)

動詞 / **い形容詞** } **普通形**
な形容詞 } **普通形** ～~~だ~~
名詞 } ～~~だ~~
＋でしょう

ずっと いい 天気なので、あしたも 晴れるでしょう。(32)
あしたの 朝は 寒いでしょう。(32)
あしたは たぶん いい 天気でしょう。(32)

動詞 / **い形容詞** } **普通形**
な形容詞 } **普通形** ～~~だ~~
名詞 } ～~~だ~~
＋かも しれません

午後から 雪が 降るかも しれません。(32)
あしたの 試験は 難しいかも しれません。(32)
彼は 病気かも しれません。(32)

動詞
い形容詞 普通形
な形容詞 普通形
名詞 ～~~だ~~
＋か、～

会議は　何時に　終わるか、わかりません。(40)
故障の　とき、どう　したら　いいか、
教えて　ください。(40)
神戸は　どんな　町か、知りません。(40)

動詞
い形容詞 普通形
な形容詞 普通形
名詞 ～~~だ~~
＋か　どうか、～

パーティーに　来られるか　どうか、
知らせて　ください。(40)
答えが　正しいか　どうか、確かめて
ください。(40)
その　話は　ほんとうか　どうか、
わかりません。(40)

動詞
い形容詞 普通形
な形容詞 普通形
名詞 ～だ→～な
＋んです

かぜを　ひいたんです。(26)
きのうは　忙しかったんです。(26)
家内が　病気なんです。(26)

動詞
い形容詞 普通形
な形容詞 普通形
名詞 ～だ→～な
＋ので、～

用事が　あるので、早く　帰ります。(39)
気分が　悪いので、帰っても　いいですか。(39)
きょうは　日曜日なので、車が
少ないです。(39)

動詞
い形容詞 普通形
な形容詞 普通形
名詞 ～だ→～な
＋のに、～

薬を　飲んだのに、まだ　熱が
下がりません。(45)
この　紙は　薄いのに、破れにくいです。(45)
きょうは　日曜日なのに、会社へ
行かなければ　なりません。(45)

動詞・い形容詞 普通形 な形容詞 普通形 〜だ→〜な 名詞 普通形 〜だ→〜の ＋ようです	だれか　来たようです。(47) リーさんは　きょうは　暇なようです。(47) リーさんは　どうも　病気のようです。(47)
12. 動詞 ます形 い形容詞 〜~~い~~ な形容詞 ＋そうです	今にも　雨が　降りそうです。(43) この　料理は　おいしそうです。(43) この　箱は　丈夫そうです。(43)
動詞 ます形 い形容詞 〜~~い~~ な形容詞 ＋すぎます	ゆうべ　お酒を　飲みすぎました。(44) この　靴は　小さすぎます。(44) この　問題は　複雑すぎます。(44)
13. 動詞 て形、 い形容詞 〜~~い~~ くて、 な形容詞・名詞 〜で、 ＋〜	手紙を　読んで、安心しました。(39) 都合が　悪くて、行けません。(39) 操作が　複雑で、まだ　覚えられません。(39)
14. 動詞 た形 ない形〜ない い形容詞 〜い な形容詞 〜な 名詞 〜の ＋ばあいは、〜	地震が　起きた　場合は、すぐ　火を　消して　ください。(45) 使い方が　わからない　場合は、わたしを　呼んで　ください。(45) 雨の　場合は、ピクニックを　来週に　します。(45)

動詞・形容詞の　いろいろな　使い方

1．はやい（い形容詞）→　はやく（副詞）

はやい	毎朝　早く　起きます。	（第14課）
はやい	日本人は　速く　話します。	（14）
いい	日本語が　よく　わかります。	（9）
	学生の　とき、よく　スキーに　行きました。	（23）
うまい	仕事が　うまく　いきました。	（34）
くわしい	実習の　内容を　詳しく　書きます。	（36）

2．じょうず[な]（な形容詞）→　じょうずに（副詞）

じょうず[な]	日本語が　まだ　上手に　話せません。	（27）
きれい[な]	部屋を　きれいに　掃除します。	（30）
ぶじ[な]	無事に　実習が　終わりました。	（50）

3．おおきい（い形容詞）→　おおきく　なります。
じょうず[な]（な形容詞）→　じょうずに　なります。
てんき（名詞）→　てんきに　なります。

これを　回すと、音が　大きく　なります。	（19）
日本語が　上手に　なりました。	（19）
きょうは　いい　天気に　なりました。	（19）

4．みじかい（い形容詞）→　みじかく　します。
きれい[な]（な形容詞）→　きれいに　します。
はんぶん（名詞）→　はんぶんに　します。

長すぎますから、短く　して　ください。	（44）
部屋を　きれいに　して　ください。	（44）
日本人は　時間を　むだに　しません。	（38）
家族の　皆さんが　親切に　して　くださいました。	（41）
ごはんの　量を　半分に　します。	（44）

5．ながい　（い形容詞）→　ながさ（名詞）

ながい	パイプの　長さを　測って　ください。	(40)
おもい	この　荷物は　重さが　5キロ　あります。	(40)
たかい	東京タワーの　高さは　333メートルです。	(40)
おおきい	字の　大きさを　2倍に　します。	(40)

6．やすみます　（動詞）→　やすみ　（名詞）

やすみます	あしたは　休みです。	(12)
はじめます	来月の　初めに　タイへ　行きます。	(31)
おわります	8月の　終わりに　国へ　帰ります。	(31)
はなします	日本人の　話が　わかるように　なりました。	(36)
くみたてます	ここは　組み立てラインです。	(37)
かえります	会社の　帰りに　よく　飲み屋へ　行きます。	(38)
いきます	行きも　帰りも　電車が　込んで　います。	(38)

7．つかいます　（動詞）→　つかいかた　（名詞）

つかいます	ワープロの　使い方を　教えて　ください。	(14)
かきます	手紙の　書き方を　教えて　ください。	(14)
よみます	漢字の　読み方が　わかりません。	(14)
します	機械の　操作の　し方が　わかりません。	(26)

自動詞と　他動詞

他動詞 自動詞	課	て形	例文
つけます	15	つけて	電気を　つけて　ください。
つきます	26	ついて	電気が　ついて　います。
けします	15	けして	電気を　消して　ください。
きえます	26	きえて	電気が　消えて　います。
あけます	15	あけて	窓を　開けて　ください。
あきます	26	あいて	窓が　開いて　います。
しめます	15	しめて	窓を　閉めて　ください。
しまります	26	しまって	窓が　閉まって　います。
こわします	37	こわして	子どもは　時計を　壊しました。
こわれます	29	こわれて	この　いすは　壊れて　います。
きります	7	きって	はさみで　紙を　切って　ください。
きれます	29	きれて	ひもが　切れて　います。
かけます	38	かけて	かぎを　掛けて　おいて　ください。
かかります	29	かかって	かぎが　掛かって　います。
かけます	7	かけて	会社に　電話を　かけます。
かかります	47	かかって	電話が　なかなか　かかりません。
いれます	17	いれて	コーヒーに　砂糖を　入れて　ください。
はいります	13	はいって	かばんに　本が　入って　います。
だします	17	だして	かばんから　本を　出して　ください。
でます	23	でて	ボタンを　押すと、切符が　出ます。

他動詞 自動詞	課	て形	例文
あげます	33	あげて	クレーンで　荷物を　上げます。
あがります	32	あがって	熱が　上がります。
さげます	33	さげて	クレーンで　荷物を　下げます。
さがります	32	さがって	熱が　下がります。
なおします	18	なおして	いすを　直して　ください。
なおります	32	なおって	病気が　治りました。
おとします	29	おとして	コップを　落として　しまいました。
おちます	36	おちて	棚から　荷物が　落ちます。
うります	15	うって	デパートで　いろいろな　物を　売って　います。
うれます	35	うれて	この　ビデオが　いちばん　よく　売れて　います。
あつめます	38	あつめて	わたしは　世界の　切手を　集めて　います。
あつまります	47	あつまって	向こうに　人が　集まって　います。
みつけます	40	みつけて	びんの　傷を　見つけました。
みつかります	46	みつかって	かぎが　見つかりません。
なくします	17	なくして	パスポートを　なくして　しまいました。
なくなります	43	なくなって	ガソリンが　なくなって　しまいました。
かえます	13	かえて	実習の　予定を　変えます。
かわります	44	かわって	実習の　予定が　変わりました。
はじめます	18	はじめて	9時から　勉強を　始めます。
はじまります	45	はじまって	もうすぐ　会議が　始まります。

副詞・副詞的表現

1．さっき	さっき 本社の 吉田さんから 電話が ありました。	（第33課）
たったいま	たった今 電車が 出た ところです。	（46）
ちょうど	ちょうど 今から 映画が 始まる ところです。	（46）
もうすぐ	もうすぐ 夏休みです。	（31）
このごろ	このごろ 火事が 多いので、気を つけて ください。	（45）
いつまでも	いつまでも 日本の ことを 忘れません。	（44）
2．ぜんぶ	この ボタンを 押すと、機械が 全部 止まります。	（36）
ほとんど	かたかなが ほとんど 書けるように なりました。	（36）
かなり	日本語が かなり 話せるように なりました。	（36）
ずいぶん	きょうは ずいぶん 人が 多いですね。	（28）
すこしずつ	旅行に 行く ために、少しずつ お金を ためます。	（42）
たまに	いつも 日本の 映画を 見ますが、たまに アメリカの 映画を 見ます。	（45）
3．まず	まず ここに この 部品を 取り付けます。	（34）
つぎに	次に パッキングを はめます。	（34）
さきに	先に 部屋へ 行きましょう。 それから 寮の 中を 案内します。	（26）
さいしょに	最初に 社長が あいさつなさいます。	（49）
さいごに	最後に わたしが あいさついたします。	（49）
4．なかなか	ことばが なかなか 覚えられません。	（27）
ぜったいに	この 機械に 絶対に 触らないように して ください。	（36）
かならず	会社を 休む ときは、必ず 電話で 連絡するように して ください。	（33）
まんいち	万一 火事が 起きた 場合は、すぐ １１９番に 電話して ください。	（45）

どうも　　人が　集まって　います。　どうも　事故のようです。　(47)
いまにも　　今にも　雨が　降りそうです。　(43)

5．じょうずに　　日本語が　まだ　上手に　話せません。　(27)
きれいに　　部屋を　きれいに　掃除して　おいて　ください。　(30)
ぶじに　　おかげさまで　無事に　実習が　終わりました。　(50)
うまく　　仕事が　うまく　いきました。　(34)
くわしく　　レポートに　実習の　感想を　詳しく　書いて
ください。　(36)

6．はっきり　　天気が　悪くて、富士山が　はっきり　見えません。　(27)
ゆっくり　　夏休みは　田舎で　ゆっくり　休む　つもりです。　(31)
ぴったり　　この　服は　サイズが　ぴったり　合います。　(40)
しっかり　　ボルトを　しっかり　締めて　ください。　(34)
きちんと　　道具を　きちんと　しまって　おいて　ください。　(30)
いっしょうけんめい　　一生懸命　技術を　習う　つもりです。　(31)
まだ　　まだ　工具を　使って　いますから、そのままに
して　おいて　ください。　(30)
ずっと　　ずっと　いい　天気ですから、あしたも
晴れるでしょう。　(32)
やっと　　桜が　なかなか　咲きませんでしたが、やっと
咲きました。　(28)

接続の　いろいろ

1．～ながら　テレビを　見ながら　ごはんを　食べます。　（第28課）

～し　きれいだし、においも　いいし、この　花を　買いましょう。　(28)

それに　どうして　いつも　この　店で　買い物するんですか。
…値段も　安いし、それに　品物も　多いですから。　(28)

～とか　レポートに　どんな　ことを　書いたら　いいですか。
…例えば　ここが　よかったとか、難しかったとか、自分の　感想を　書いて　ください。　(36)

2．それで　この　レストランは　おいしいし、値段も　安いです。
…それで　人が　多いんですね。　(28)

～て　けさの　ニュースを　聞いて、びっくりしました。　(39)

～くて　仕事が　忙しくて、どこも　行けません。　(39)

～で　操作が　複雑で、よく　わかりません。　(39)
地震で　うちが　壊れました。　(39)

～ので　用事が　あるので、早く　帰ります。　(39)
あしたは　休みなので、友達と　出かけます。　(39)

3．しかし　この　工場は　小さいです。　しかし、いい　製品を　作って　います。　(40)

～のに　薬を　飲んだのに、まだ　熱が　下がりません。　(45)
日曜日なのに、会社へ　行かなければ　なりません。　(45)

4．～ば　この　説明書を　読めば、使い方が　わかります。　(35)
値段が　安ければ、買います。　(35)

～なら　カメラなら、新宿が　安いです。　(35)

～ばあいは　万一　火事が　起きた　場合は、１１９番に　電話して　ください。　(45)
雨の　場合は、ピクニックを　来週に　します。　(45)

5．それじゃ

友達の　結婚式が　あるので、早く　帰っても
いいですか。
…結婚式ですか。　それじゃ　しかたが　ありませんね。　(39)

それでは

それでは、これから　ラオさんの　送別会を　始めます。　(50)

では

では、まず　始めに　ラオさんに　ごあいさつを
お願いします。　(50)

6．ところで

コンピューターの　操作に　慣れましたか。
…ええ、おかげさまで。
よかったですね。　ところで、レポートの
ことですが、感想が　書いて　ありませんね。　(36)

附錄　關聯詞彙

1　だいどころの　なか　　台所の　中　　廚房裏

だいどころ	台所	廚房
すいどう	水道	自來水
ながし	流し	流理台
でんしレンジ	電子レンジ	微波爐
すいはんき	炊飯器	電鍋
なべ		鍋
フライパン		煎鍋
やかん		水壺
ポット		壺
まないた	まな板	切菜板
ほうちょう	包丁	菜刀
しょっき	食器	餐具
ビニールぶくろ	ビニール袋	透明塑膠帶

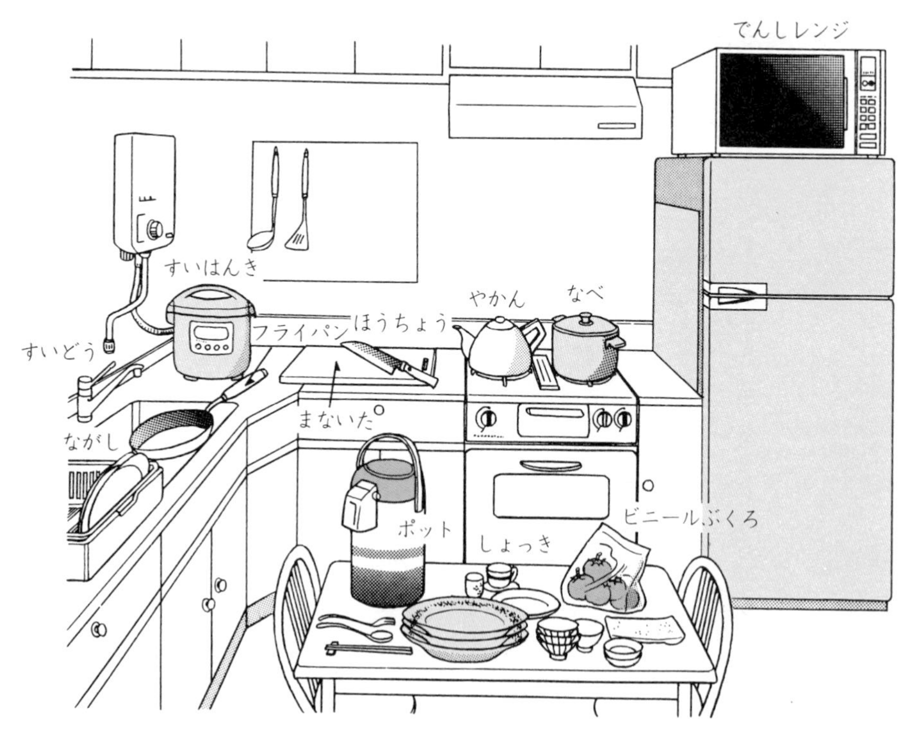

2　ふくそうとアクセサリー　　服装と　アクセサリー　　服裝與服飾用品

せびろ（スーツ）	背広	西裝
ワイシャツ		襯衫
ティーシャツ		T 恤
ジーンズ		牛仔褲
ブラウス		(婦女穿的)襯衫
スカート		裙子
ストッキング		褲襪
ネックレス		項鍊
イヤリング		耳環
ゆびわ	指輪	戒指
マフラー		圍巾
スカーフ		女用頭巾，披肩
ハンカチ		手帕
ベルト		皮帶
バッグ		手提包

3　いち・ほうがく　　位置・方角　　位置・方向

ちゅうしん	中心	中心
はし	端	端
すみ	隅	角落
さき	先	前頭，前面
てまえ	手前	自己的面前
おく	奥	裏頭，深處
よこ	横	側面，旁邊
そこ	底	底
まうえ	真上	正上方
ました	真下	正下方
まんまえ	真ん前	正前方
まうしろ	真うしろ	正後方
～の　ところ	～の　所	～的地方
～の　あたり	～の　辺り	～的附近
きた	北	北
みなみ	南	南
ひがし	東	東
にし	西	西

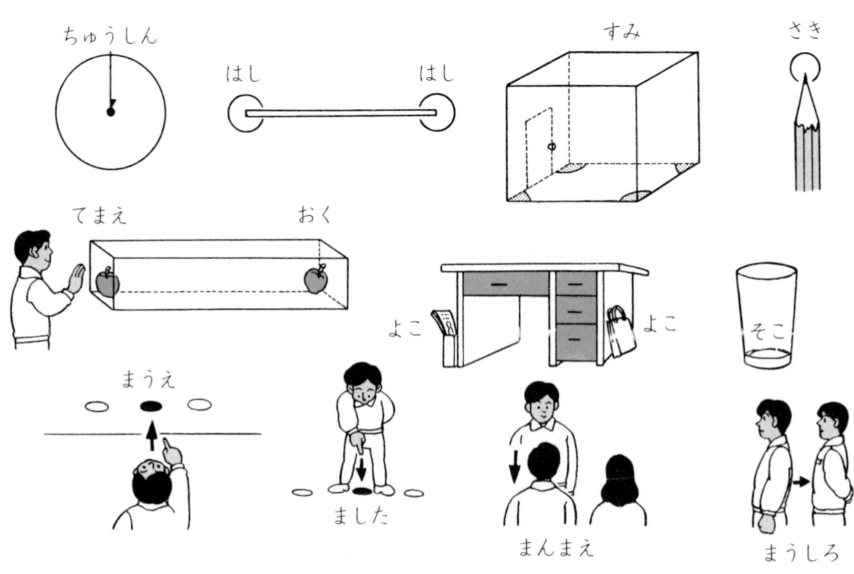

4　こうじょうの　なかで　よく　みる　ひょうじ　　工場の　中で　よく　見る　表示　　工廠裏的常見標示

危険	きけん	危險
安全	あんぜん	安全
禁煙	きんえん	禁煙
電源確認	でんげんかくにん	電源確認
足元注意	あしもとちゅうい	注意腳部(邊)
頭上注意	ずじょうちゅうい	注意頭上
高圧注意	こうあつちゅうい	注意高壓
高温注意	こうおんちゅうい	注意高溫
立入禁止	たちいりきんし	禁止入內
使用禁止	しようきんし	禁止使用
火気厳禁	かきげんきん	嚴禁煙火
爆発物	ばくはつぶつ	爆炸物

常見標示

きんえん

あしもとちゅうい

ずじょうちゅうい

たちいりきんし

かきげんきん

5　さぎょうどうさと　こうぐ　　作業動作と　工具　　操作動作與工具

(1)はかる	測る	測量
はかり		秤
ものさし	物差し	尺
まきじゃく	巻き尺	捲尺
(2)きる	切る	切
カッター		刀具
のこぎり		鋸子
(3)あなを　あける	穴を　あける	挖洞
きり		錐子
パンチ		打孔機
(4)はさむ・つまむ	挟む	夾
クリップ		夾子
ピンセット		小鉗子
(5)うつ・たたく	打つ	打
かなづち		榔頭
(6)みがく	磨く	磨
やすり		銼刀
(7)つける	付ける	塗抹
のり		漿糊
せっちゃくざい	接着剤	粘著劑

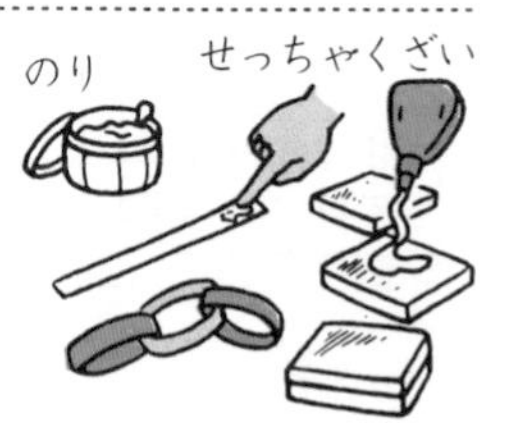

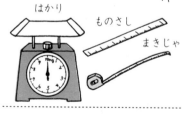

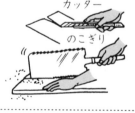

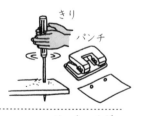

6　きかい　　機械　　機械

こうさくきかい	工作機械	工作母機
せんばん	旋盤	車床
そうち	装置	裝置
ギア		齒輪
カム		凸輪
じく（シャフト）	軸	軸
ベアリング		軸承
ハンドル		柄
メーター		自動計量儀表
センサー		監察器
タービン		渦輪機
はつでんき	発電機	發電機

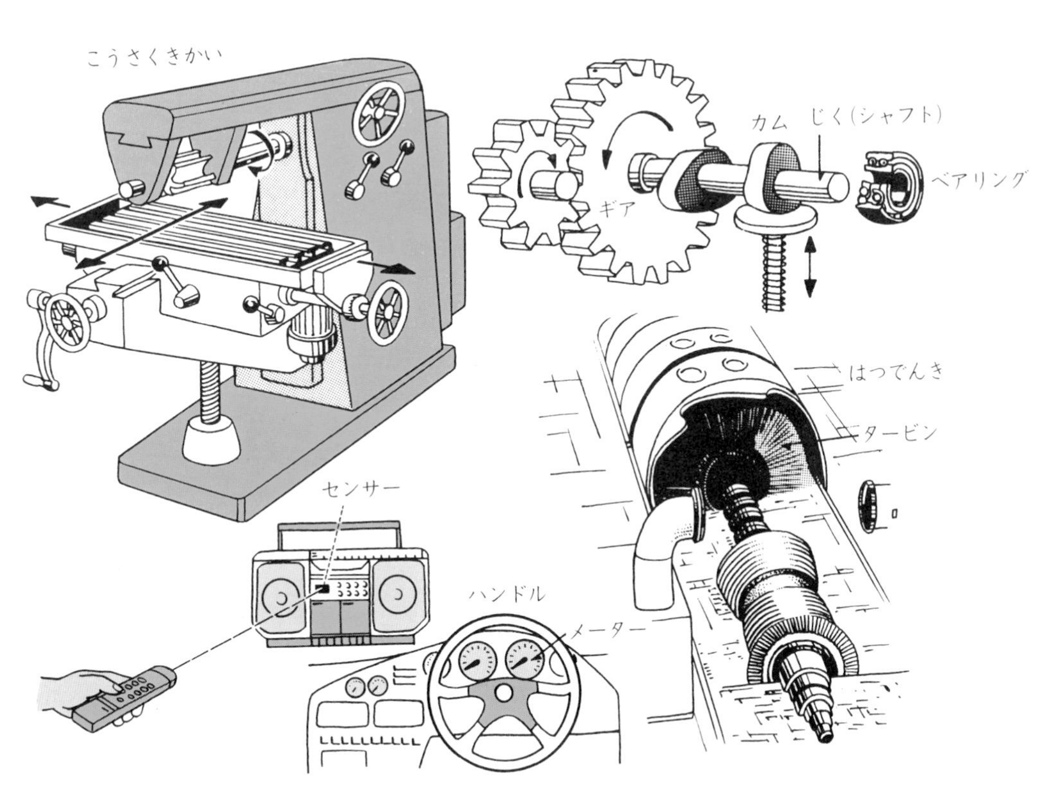

7　じょうたい・ようすを あらわす ことば　　状態・様子を 表す ことば　　表現狀態・樣子的詞

(1)ひょうめん	表面	表面
つるつる		光滑
ざらざら		粗糙
でこぼこ		凹凸不平
(2)みつど	密度	密度
ぎゅうぎゅう		儘量塞，擁擠不堪地
ぎっしり		滿滿的
すかすか		空蕩蕩的
(3)ゆるみ	緩み	鬆弛
がたがた		搖搖晃晃
ぐらぐら		搖晃
ぴんと		繃緊
(4)ちつじょ	秩序	秩序
ちゃんと		整整齊齊
ばらばら		零亂
ごちゃごちゃ		亂七八糟

8　みぢかな　せいひんと　きのう　　身近な　製品と　機能　　身邊的用品及其功能

(1)テレビ		電視
アンテナ		天線
チャンネル		頻道
えいせいほうそう	衛星放送	衛星播送
(2)ビデオ		錄影機
ろくが	録画	(用磁帶)錄影
さいせい	再生	重放，播放
まきもどし	巻き戻し	倒磁帶
はやおくり	早送り	快速捲磁帶
(3)カメラ		照相機
オートフォーカス		自動對焦
レンズ		鏡頭
ズーム		廣角鏡頭，長鏡頭
シャッター		快門
ストロボ		閃光燈
(4)パソコン		個人電腦
キーボード		鍵盤
フロッピーディスク		磁碟片
プリンター		印表機
(5)でんげん	電源	電源
コード		絕緣導線
プラグ		插頭
コンセント		插座

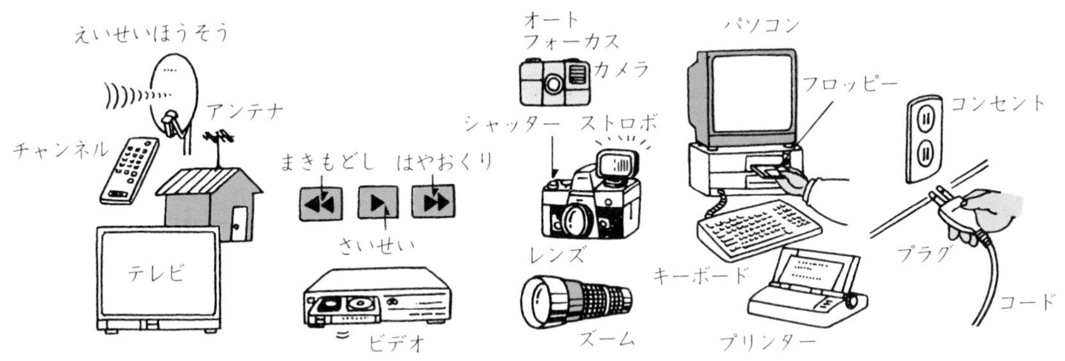

9　くるまの　せいさんライン　　車の　生産ライン　　汽車生產線

ちゅうぞう・たんぞう
鋳造・鍛造
鑄造・鍛造

ざいりょうせつだん
材料切断
材料切斷

プレスかこう
プレス加工
擠壓加工

しゃたいくみたて
車体組み立て
車體組裝

とそう
塗装
噴漆

ぎそう
ぎ装
裝配

そうごうくみたて
総合組み立て
綜合組裝

けんさ
検査
檢查

10 よか　余暇　餘暇

ゴルフ		高爾夫球
スケート		滑冰
つり	釣り	釣魚
ドライブ		開車兜風
とざん	登山	登山
サイクリング		自行車旅行
キャンプ		野營
ボーリング		保齡球
ディスコ		迪斯可舞
いご	囲碁	圍棋
しょうぎ	将棋	日本象棋
マージャン		麻將
おちゃ（さどう）	お茶（茶道）	茶道
いけばな	生け花	插花

11 けいさん・せん・かたち　計算・線・形　計算・線條・形狀

a) けいさん・そのた		計算・その他	計算・其他
(1)けいさん		計算	計算
+	たす・プラス	足す	加
−	ひく・マイナス	引く	減
×	かける	掛ける	乘
÷	わる	割る	除
=	イコール		等於
(2)おもさ		重さ	重量
t	トン		噸
kg	キロ		公斤
g	グラム		克
mg	ミリグラム		毫克
(3)めんせき		面積	面積
m^2	へいほうメートル	平方メートル	平方米

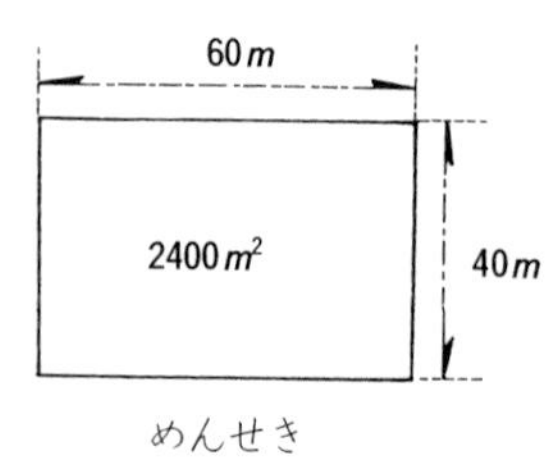

めんせき

(4)たいせき・ようせき		体積・容積	體積・容積
m^3	りっぽうメートル	立方メートル	立方米
l	リットル		公升
ml	ミリリットル		毫升
cc	シーシー		立方厘米

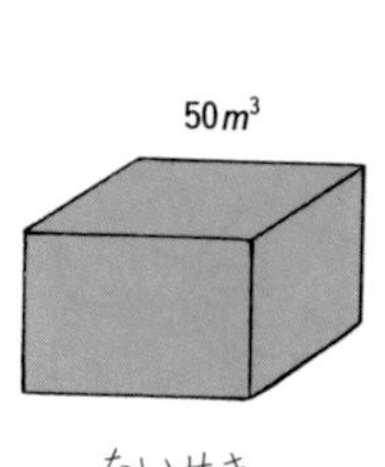

たいせき

720ml

ようせき

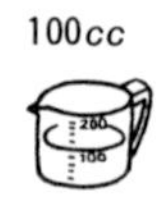

b）せん　　線　　線條

(1)ちょくせん　直線　直線

(2)きょくせん　曲線　曲線

(3)てんせん　点線　虛線

a ——— b

a  b

a ········· b

c）かたち　　形　　形狀

(1)えん（まる）　円（丸）　圓

(2)さんかく［けい］　三角［形］　三角形

(3)しかく［けい］　四角［形］　四方形

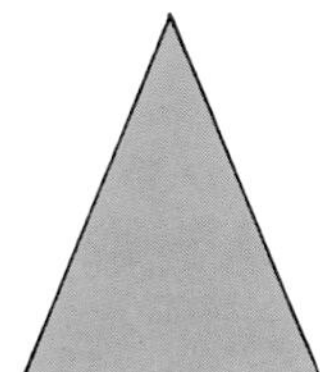

12 にほんの　さいじつと　ぎょうじ　日本の　祭日と　行事　日本的節日與儀式

a) しゅくさいじつ	祝祭日	慶祝日和祭祀日
1がつついたち 1月1日	がんじつ 元日	元旦
15にち 15日	せいじんのひ 成人の日	成人節
2がつ11にち 2月11日	けんこくきねんのひ 建国記念の日	國慶節
3がつ(21にちごろ) 3月(21日ごろ)	しゅんぶんのひ 春分の日	春分
4がつ29にち 4月29日	みどりのひ 緑の日	綠化節
5がつみっか 5月3日	けんぽうきねんび 憲法記念日	憲法紀念日
いつか 5日	こどものひ 子どもの日	兒童節
9がつ15にち 9月15日	けいろうのひ 敬老の日	敬老節
(23にちごろ) (23日ごろ)	しゅうぶんのひ 秋分の日	秋分
10がつとおか 10月10日	たいいくのひ 体育の日	體育節
11がつみっか 11月3日	ぶんかのひ 文化の日	文化節
23にち 23日	きんろうかんしゃのひ 勤労感謝の日	感恩節
12がつ23にち 12月23日	てんのうたんじょうび 天皇誕生日	天皇誕辰

b）ぎょうじ　　行事　　儀式

1がつついたち 1月1日	はつもうで 初もうで	新年首次參拜神社
2がつみっか 2月3日	せつぶん（まめまき） 節分（豆まき）	立春的前一天
3がつみっか 3月3日	ひなまつり ひな祭り	女兒節，桃花節
5がつついたち 5月1日	メーデー	五一勞動節
いつか 5日	たんごのせっく 端午の節句	端午節
7がつなのか 7月7日	たなばた 七夕	七夕（牛郎織女）
8がつ15にち 8月15日	おぼん（きゅうぼん） お盆（旧盆）	中元節
11がつ15にち 11月15日	しちごさん 七五三	男孩三、五歳和女孩三、七歳時舉行的祝賀儀式
12がつ31にち 12月31日	おおみそか 大みそか	除夕

Memo

索（さく）　引（いん）

把各課新出現的詞彙、表現等與
各自最初出現的課文一起標示。

索　引

— う —

— え —

— お —

— か・が —

— き —

— く・ぐ —

— け・げ —

— こ・ご —

— さ・ざ —

— し・じ —

— た・だ —

— ち —

— つ —

— て・で —

— と・ど —

— な —

— に —

— ぬ —

— ね —

— の —

— は・ば・ぱ —

— ひ・び・ぴ —

— ゆ —

— よ —

— ら —

— り —

— る —

— れ —

— ろ —

— わ —

新日本語の基礎Ⅰ　動詞の　フォーム

	13課	18課	17課	19課	14課
	ます形	辞書形	ない形	た形	て形
Ⅰ	かきます いきます いそぎます やすみます はこびます しにます つくります つかいます もちます なおします	かく いく いそぐ やすむ はこぶ しぬ つくる つかう もつ なおす	かかない いかない いそがない やすまない はこばない しなない つくらない つかわない もたない なおさない	かいた いった いそいだ やすんだ はこんだ しんだ つくった つかった もった なおした	かいて いって いそいで やすんで はこんで しんで つくって つかって もって なおして
Ⅱ	たべます みます	たべる みる	たべない みない	たべた みた	たべて みて
Ⅲ	します きます	する くる	しない こない	した きた	して きて
	ーましょう(6) ーませんか(6) ーたいです(13) ーながら(28) ーそうです(43) ーすぎます(44) ーやすいです(44) ーにくいです(44) おーになります(49) おーします(50)	ーことができます(18) ーことです(18) ーまえに(18) ーと(23) ーつもりです(31) ーな(33) ーように(36) ーようになりました(36) ーように　してください(36) ーために(42) ーのに(42) ーところです(46)	ーないでください(17) ーなければなりません(17) ーなくてもいいです(17) ーないと(23) ーない　ほうがいいです(32) ーないで(34) ーないように　(36) ーないようにして　ください(36)	ーことがあります(19) ーほうがいいです(32) ーとおりに(34) ーあとで(34) ーところです(46) ーばかりです(46)	ーいます(14) ーください(14) ーくれ(33) ーも　いいです(15) ーも(25) ーから(16) ーあげます(24) ーくれます(24) ーいただきます(41) ーしまいました(29) ーあります(30) ーおきます(30) ーみます(40) ーきます(43)

新日本語の基礎II　動詞の　フォーム

31 課	33 課	35 課	27 課	37・49課	48 課
意向形	命令形	条件形	可能	受身・尊敬	使役
かこう	かけ	かけば	かけます	かかれます	かかせます
いこう	いけ	いけば	いけます	いかれます	いかせます
いそごう	いそげ	いそげば	いそげます	いそがれます	いそがせます
やすもう	やすめ	やすめば	やすめます	やすまれます	やすませます
はこぼう	はこべ	はこべば	はこべます	はこばれます	はこばせます
しのう	しね	しねば	しねます	しなれます	しなせます
つくろう	つくれ	つくれば	つくれます	つくられます	つくらせます
つかおう	つかえ	つかえば	つかえます	つかわれます	つかわせます
もとう	もて	もてば	もてます	もたれます	もたせます
なおそう	なおせ	なおせば	なおせます	なおされます	なおさせます
たべよう	たべろ	たべれば	たべられます	たべられます	たべさせます
みよう	みろ	みれば	みられます	みられます	みさせます
しよう	しろ	すれば	できます	されます	させます
こよう	こい	くれば	こられます	こられます	こさせます
ーと　おもって います(31)					ーせて いただけませんか (48)

同　意　書

大新書局殿

株式会社スリーエーネットワーク発行、財団法人海外技術者研修協会編集「新日本語の基礎Ⅱ」の「漢字かなまじり版」・「中国語訳」、及び「新日本語の基礎Ⅱ」の音声教材を中華民国台湾において発行することを承認します。

1993年　3月25日

株式会社スリーエーネットワーク
代表取締役社長　　福　本　一

新日本語の基礎Ⅱ（本教材另備録音學習 CD8片或卡帶8巻）

1993年（民82）4月15日 第1版第1刷發行
2004年（民93）9月15日 第1版第18刷發行

定價 新台幣：300元整

編　著　（日本）財団法人海外技術者研修協会
授　權　（日本）スリーエーネットワーク
發行人　林　寶
發行所　大新書局
地　址　台北市大安區(106)瑞安街256巷16號
電　話　(02)2707-3232・2707-3838・2755-2468
傳　真　(02)2701-1633・郵政劃撥：00173901
登記證　行政院新聞局局版台業字第0869號

香港地區　三聯書店（香港）有限公司
地　址　香港新界大埔汀麗路36號中華商務印刷大廈3樓
電　話　(852)2523-0105
傳　真　(852)2810-4201

 ISBN 957-8653-15-8 (B381)